続・いい言葉は、いい人生をつくる

斎藤茂太

本書は成美文庫のために書き下ろされたものです。

知らなかった知恵と出会う本――はじめに

斎藤茂太

誰よりも私が一番驚いているのだが、卒寿を迎える。卒寿とは、九〇歳のことだ。九〇年も生きるとは、若いときには想像したことさえなかった。そんなに長く生きて、いったいなにをすればいいのか見当がつかなかった。斎藤家の歴史でも最長不倒距離である。

だが、人とは、なんと巧みに生きられる生き物なのだろう。私の日々はいまなお忙しく、やらなければならないこと、いや、それ以上に、やりたいことに満ち満ちている。興味も関心も、少しも衰えない。

さすがに体力だけは若いころと同じというわけにはいかないが、まあ、自分のやりたいことをほどほど満足させる程度には十分にある。

「人は成熟するにつれて若くなる」とは、ヘルマン・ヘッセが晩年に書いた本のタイトルだが、私の実感はこれに近い。

年をとるにつれて、心はますます弾力に満ち、しかも深まっていく。それを端的に示すのが、言葉に対する反応である。

わが斎藤家には、書き魔ともいうべき遺伝子が脈々と伝わっている。東京一と称された「帝国脳病院」を建て、みずからドクトル・メジチーネ（ドイツ語で医学博士の意）と名乗った祖父・紀一。精神科医としてより歌人として名を残し、文化勲章までいただいた父・茂吉。二人とも、詳細な日記を残している。

私もその遺伝子を受け継ぎ、少年時代は小づかいの大部分を、日記帳の購入に使っていた。子どもには分不相応な立派な装丁の日記帳を買い、毎日つけることに生きがいさえ感じていたものだった。

医者になってからは忙しく、日記帳は、書き込み部分が多い手帳にとって替わった。手帳日記でも、けっこう書きでがある。

そして、いまなお手帳をかたときも離さない。目に止まったこと、耳に入ってきたことは書きとめておく。私にとって手帳はもはや分身であり、九〇年に及ぶ人生は、数十冊の手帳に濃縮されている。

ふと昔の手帳を開いてみると、そこには、私の心を引きつけた、さまざまな言葉も書いてある。読み返すと、年齢とともに、同じ言葉を、さらに深く味わえるようになっていることに気づく。以前より、もっと心を動かされることが増えてきた。

一つの言葉が、思いもよらない感慨を与えてくれる。なんでもない言葉に、ハッとするほど癒《いや》される。これもまた、長生きの果報であろう。

果報を一人占めするのは申しわけない。おすそ分けしたい。そんな気持ちから、この本は誕生した。

前著『いい言葉は、いい人生をつくる』（成美文庫）は、幸い多くの方から共鳴をいただき、「いい言葉をもっと教えてほしい」というお便りをたくさんいただいた。

この本には、そうした声にお応えする気持ちも込めてある。言葉のフィールドを大幅に広げたつもりだ。「ああ、この言葉とはあのとき出会ったなあ」などと自分ながら感慨にふけっている。

だが、賢明なる読者諸氏はすでにお気づきだろう。

言葉からメッセージを引き出すのは、ほかの誰でもない、自分自身なのだ。

あなたの心が元気ならば、言葉は生き生きと、力強いメッセージを発する。あなたが元気を失なっていれば、同じ言葉から、なんともむなしい響きを感じたりする。

好きな言葉をいくつかもち、それを、自分の心の状態のリトマス試験紙にするという方法もあるということだ。

本書には、いわゆる名言名句はほとんど選んでいない。そういうのは、功なり名遂げた、えらい方におまかせしておけばいい。これも、長く生きてきた私の実感である。

道の端に咲く雑草の花にも、大輪のボタンやバラに負けない存在感や色香がある。私のお気に入りの言葉たちは、どちらかというと、雑草の花のようにさりげなく、でも、なぜか心を引きつけてやまないものばかりだ。

そんな言葉に、味わい尽くせぬほどの滋味を感じ、しみじみと「生きているのは、いいことだ」と実感できる。

この本から、いくつかの「お気に入りの言葉」を、あなたの心のノートに書きつけていただければ幸いだ。それらの言葉は、思いもかけないときに、ふっとあなたの中でよみがえり、求めているメッセージを発してくれるに違いない。

目次

＊

続・いい言葉は、いい人生をつくる

1章 いつでも「今」が誕生日
◆心をリセットする言葉

2章 「楽しい一計」を案じよう

◆心がわくわくする言葉

3章 「もう一度！」の力を養おう

◆心がプラスになる言葉

4章　やっぱりあの人と生きていく

◆心を熱くする言葉

5章 人生に「成長点」を確保する

◆心を駆り立てる言葉

6章　この道が最善と信じよう

◆心が成熟する言葉

編集、プロデュース／吉田　宏
制作協力／菅原佳子
章扉イラスト／辻　和子

1章　＊　心をリセットする言葉

いつでも「今」が誕生日

行ないの最大の報酬は行ないをやり遂げた満足にある

運命というものは、人をいかなる災難にあわせても、
必ず一方をあけて、
そこから救いの手をさしのべてくれるものよ。
――セルバンテス『ドン・キホーテ』

人生は山あり、谷ありである。しかし、山だの谷だのと思ってうろたえていたのは、結局は自分がちっぽけで、翻弄《ほんろう》されていただけの話ではなかったか。日々は、人間の一喜一憂と関わりなく、粛々《しゅくしゅく》と、淡々と流れていたのだ。九〇年近く生きてきて、しみじみそう思う。

二〇〇七年から日本は人口縮小社会に入るという。生産人口が減って、経済の繁栄に陰りが出る。年金不安はさらに大きくなる。このままでは老後はどうなる？　もろもろの問題が噴出し、マスコミは大騒ぎを演じることだろう。

だが私は、どんな問題にも、そう不安も抱かないし、うろたえもしない。それどころか、どんなときにも人はけっこうしぶとく生きていくものだという確信さえ抱いている。

私たちの世代は、関東大震災をくぐり抜け、太平洋戦争というすさまじい時代も生き抜いてきた。

「昔はよかった」と言うと年寄りめくが、どうも、昔の人間のほうが骨太であったことは、認めるほかはない気がする。

私の母・輝子《てるこ》は、いまふうにいえば、超セレブの令嬢だった。おまけに、生まれた家に夫を迎え入れる形だったから、当時の女性なら苦労する嫁　姑《しゅうとめ》問題にも無縁。私をはじめとする子どもの世話も、極端な言い方をすれば、ばあやや手伝いの者にまかせっぱなしだった。

ただし、母の名誉のために書き添えれば、これは洋の東西を問わず、少し前までの上流階級では当たり前のことだった。

苦労らしい苦労などしたことがなかった母だったが、関東大震災で東京が壊滅状態になったときには頼もしかった。キリリと十文字のたすきをかけ、帯の間に短刀をたばさみ、夜の病院を巡回して歩いたのだ。被災者が近くの青山墓地に数百人集まり、不穏な動きをしているという噂が流れ、職員の多くは戦々《せんせん》兢々《きょうきょう》として、病院の巡回も行なわれない状況だったのだ。

父はドイツ留学中。院長であった祖父の紀一もたまたま箱根の別荘に出かけており、数日がかりで、やっと東京に戻ってきた。その留守を、世間知らずの母が、敢然と守り抜いたのである。

笑って……それから考えない。

——西原理恵子

茫洋《ぼうよう》と年を重ねてきたように思われることが多い私にしても、戦中、戦後の十数年間には、人生に必要な苦労の大半を経験したように思っている。

最近でこそ、ときには世界の海を回る船旅を夫婦で楽しんだり、優雅な日々を過ごしているように思われがちだが、戦争直後は、大学病院勤務のかたわらで開業もしていて多忙のうえ、貧乏でもあった。ある日、勤務先の病院の抽選で一等賞のゴム長靴を引き当て、その幸運に感謝してバンザイを叫び、一メートルも飛び上がったことがあるほどだ。

日本中が食うものがなくて困っていたときに、わが家は、大人数の家族と、病院の入院患者をかかえていた。私の食事は、しばしばやせたサツマイモだけだったものだ。なぜ、そんな日々を乗り越えてこられたか。いまでもよくわからない。とにかく、無我夢中、がむしゃらだった。

しかし、あとになってみると、平穏無事の日々よりも、家内の美智子いわく「狂《きょう》瀾《らん》怒《ど》濤《とう》」の日々のほうが、鮮明に印象に浮かび上がり、人生の綾《あや》や彩りになってくれているのだから、捨てたものではない。

もし、いまあなたが胸突き八丁の日々を送っているなら、あまりシリアスに考え込まないことだ。考えなくても、腹は減る。腹が減れば、なにかを食べる。そのためには働かなければならない。で、働く……。

あまりシリアスに考えずに笑って積み上げる一日一日が、やがては輝き始め、いい人生になっていく。儲けものではないか。

休息を得るには目先を変えるのが一番だ

したくない仕事しかこないんです。
でも、運はそこにしかない。

——萩本欽一

思えば、自分でもほめてやりたいぐらいよく働いてきた。九〇歳になんなんとして病院の仕事もつづけているし、こうして原稿を書いている。だいぶん機会は減ったが、講演に出かけることもある。

大家族の生活を担うために、いくつかの病院をかけもちで働いていた若いころには、ご飯を食べるヒマがないほどだった。家内が、移動しながら口に放り込める一口おにぎりや、サンドイッチをつくってくれたものだ。

ときどき、「先生は、お好きな仕事ばかりされていて、いいですね」などと言われることがあるが、これは少々、仕事をなめた言い方だと思う。

たしかに、手がけているどの仕事も嫌いではない。けれど、仕事にはいろんなファクターがつきものだ。病院の仕事でいえば、金銭や人の管理がついてくる。原稿を書く仕事なら締め切りがつきものだ。慣れてはいても、一人で数百人の人と対する講演は、やはり緊張する。

楽なだけの仕事、好きで楽しいだけの仕事は、本当は実在していないのだ。実在していると思っていると、幻想に惑わされてしまうのではなかろうか。

そのかわり、仕事の代償として、お金を頂戴するのである。いただくたびに、心底ありがたいと思うし、この年で、自分で働いて生計を支えるお金を手にできることに、深い感謝を覚えている。

船の旅では、よく、「定年退職後は悠々自適《ゆうゆうじてき》。年間の三分の一は、妻と二人で海の上です」というような日々を送っておられるご夫婦に出会う。そういう方をうらやましいと思う気持ちはゼロではないが、だからといって、私の日々と取り替えてほしいと思う気持ちはさらさら起こらない。少なくとも私は、まだまだ仕事をしていきたいという願いを強くもっているからだ。

実際、白状してしまえば、船の旅は船内講師をかねていることがほとんどだ。つまり、船の上でも、私は仕事をしていることになる。

水を節約するようにと言われたとたん、
誰もが水を飲み始める。

——アラブのことわざ

私が、いまも仕事をしていられる秘訣は、あるときから、休みを大事に考えるようになったことだと思う。

四〇代はじめに倒れた私は、それを機会に禁煙し、以後、二度とタバコを口にしていない。また、病気を機会に、少々ムリでも思いきって休みをとり、家内の美智子と世界各地へ旅をするようにした。

旅の前後は、それこそ、盆と正月が一緒にきたようなスケジュールに忙殺される。だが、海外に飛び出してしまえば、当時はまったくフリーになれた。海外にまで電話などが入るのは、よほどの場合をのぞいてなかったからだ。

私の病院にお見えになる患者さんを見ていると、心身ともに疲れ果てていることが多いようだ。

患者さんにかぎらず、どうも、日本のビジネスマンはいまなお、休み下手なのではないだろうか。つい、休み返上でがんばり抜いてしまう。

それではくたびれてしまう。

疲れを感じたら、ペースダウンをすればいいのだ。組織で働いているとそうそう休みもとれないだろう。だったら、出社し、目いっぱいではなく、ちょっと力を抜いてみる。

高度成長期に三井物産のトップとして辣腕《らつわん》をふるった八尋俊邦さんは、「疲れたら休め。やがて休むことに飽きてくる」というのが口癖だったと聞いている。

この言葉、私には実感としてわかる。旅などで少し仕事を離れると、かえって猛然と仕事がしたくなってくるからだ。そうして意欲を回復してから、一気呵成《いっきかせい》に仕事に向かったほうが、いい結果が得られることが多い。

最近のビジネスマンに多いといわれる「電池切れ症状」につける薬は、一にも二にも、ゆっくりと休むことだ。仕事上手と休み上手は共存しているはずである。

大切なのは倒れないことより
すぐに起き上がることである

いいえ、昨日はありません。
今日を打つのは今日の時計。

——三好達治

「地獄か、極楽か。あなたは死んだら、どちらに行くと思うか」。意地の悪い新聞記者からそう聞かれたとき、詩人ジャン・コクトーは、「どちらでも。そのどちらにも会いたい友人がいるのでね」と答えたという。

私も最近はふっと、あの世とやらに行って、あの人、この人に再会したいと思うことがある。いの一番に会いたいのは母だ。

母は典型的な「天動説人間」であった。自分が世界の中心なのである。ずいぶん振り回された。一度など、日記に「誰か、この母と一緒に暮らしてくれないか。その人には一億円さしあげる」と書きつけたほどだ。そのころの一億円は、いまの一〇倍の重みがあった。

だが、いまでは、母の生き方はみごとだった！　と思うことのほうが増えている。母は、自分というものをしっかりもっていた。いつも、自分のしたいことが見えていて、それに向かってまっすぐ突き進む。

なかでも声を大にしたいのは、母は徹底した現実主義だったことだ。

母の人生にも深い谷はあった。生家の病院が、二度も焼け落ちているのだ。だが、すべてを失なうそんな体験をしても、運命を嘆く言葉を聞いたことがない。

母は、気に病んでもしかたがないことは、いっさい気にすることがなかった。なにかが起こると、すぐに問題解決の行動を起こしていた。

戦災で焼け出されたときもそうだった。家のなかでも傘がほしいようなボロ家で家族が暮らしていたとき、一人、奔走し、もう少しまともな家を買える資金を調達してくれたのは、母だった。

いま、うつが急増している。

企業も個人も生き残りの大競争を繰り広げている時代だ。社会の重圧は息苦しいまでに高いのだろう。そうした社会状況のなかで、うつになりやすい方はとくに「ああすればよかった……」と意識を過去に向けたり、「あんなことをしてしまって、この先、どうなるのか……」と未来を悲観する人が多いようだ。すなわち、現実を見すえる視点を欠きがちに思える。

うつ傾向の方には、「心配してもしょうがないことは、お忘れなさい」と申し上げたい。それより、現実的に、手や足を動かすことをおすすめしたい。

まず過去を捨て、それから前へ進みなさい。

――ウィンストン・グルーム『フォレスト・ガンプ』

最近、ギル・アメリオ氏のことを雑誌で知った。パソコンで一世を風靡《ふうび》したアップル社のCEO（最高経営責任者）だったという。

アップル社は一九九〇年代後半、ひどい不振に悩まされていたらしい。アメリオ氏がCEOに就任した九六年には、銀行の残高はすべてマイナスだった。借金だらけで、返済期限が次々と迫ってくる。

このとき、まずアメリオ氏がやったことは、銀行に返済期限延長を願い出るレターを書くことだったそうだ。

あとは借金のことも、返済期限のこともいっさい忘れる。そして、当面やらなければならない仕事を一つ一つ、片づけていく。

「返済期限延長を決めるのは私じゃない。私がジタバタしても、事態は変わらない。心配しても意味がないことは心配しない」と彼は言っている。

アメリオ氏は、ここまで経営を悪化させた過去の分析にも関心を示さなかった。過去を悔いず、未来を心配せず、今に全力を尽くす姿勢を示したのだ。この姿勢は、社員にも「具体的になにかをしなくては危機は乗り越えられない」行動力を生んだ。

結局、銀行は、返済期限の一週間前というギリギリのところで、六か月の猶予期間を認めてくれた。こうして最大の危機を乗り越えたアップル社は、パソコン本体を半透明にした「ｉＭａｃ」や、携帯用サウンド再生機「ｉＰｏｄ」と大ヒットをつづけ、息を吹き返したのだという。

ものごとがうまくいかなくなったとき、事態をさらに悪化させるのは、当事者がジタバタとうろたえ、われを失なってしまうことなのである。

苦労から抜け出したいなら肩の力を抜くことを覚えなさい

アバウトは健康にいい。

――赤瀬川原平

会社員の六割はストレスをかかえている。そして、管理職よりもヒラ社員のほうがストレスが少ない。

こんな調査結果を目にして、私は、いろんな意味で意外な印象をもっている。

労働政策研究・研修機構が、二〇〇四年末から〇五年にかけて、従業員一〇〇人以上の全国一万社を対象に実施し、男女九四〇七人が回答を寄せた調査だ。

その結果、現在の仕事に「精神的なストレスを感じる」のは全体の約六一パーセント。原因は、「会社の将来に不安を感じる」「仕事の責任が重い」「仕事量が多い」の順で、それぞれ約三〇パーセント前後の微差だった（複数回答）。

役職別では、ストレスの高い順に「課長」が約六九パーセント、「係長」が約六八パーセント、「ヒラ社員」が約五八パーセント、「役員」が約五五パーセント。上からの押しつけと下からの突き上げにはさまれた「サンドイッチの中味」といわれる中間管理職の心の悲鳴が聞こえてくるようだ。

私が意外だと感じた第一は、ストレスを感じている人の割合が実感より少ないことだった。精神科の診察室には、ストレスで心をすり減らしてしまった非常に多数のビジネスマンが訪れてくるからだ。

私の分析はこうである。

人は、ときには自分自身にも見栄を張る。「ストレスを感じていますか」と聞かれても、「いや、自分にはストレスなんかない」と格好をつけた回答をしてしまいがちだということだ。うがった見方をすれば、「ストレスを感じていない」と答えた四〇パーセントの方々にも、私はある種の危険を感じている。

精神は、体よりがんばり屋だ。体は、疲れれば眠くなるなどのサインを正直に発するが、精神は、「まだまだがんばれる」と我《が》を張ってしまう傾向が強いのだ。

がんばりすぎて、どうにも修復がきかなくなった状態が、ストレスからくるさまざまな精神的障害だといっても過言ではない。

こうした方に、私がお出しする処方箋《せん》は「あまりがんばらないでくださいよ」という言葉である。

ほどほどでやめる。ほどほどで満足する。人生には、こうした考え方が「吉」と出ることが多いものなのだ。

苦しみは人を強くするか、
それとも打ちくだくかである。

——ヒルティ

もう一つ意外だったのは、役員よりヒラのほうが多くストレスを感じていることだ。

こちらは、ずっと簡単に説明がつく。

ビジネスマンは、ストレスを上手にかわすワザを身につけなければ、えらくなれないということではないか。

「なんとなく疲れている」「心が沈みがちだ」「イライラする」……そんなふうに感じ

る日は、仕事をできるだけ早く切り上げよう。家に直行して横になるのではない。誰彼なく誘いをかけ、立ち飲みバーをはしごするもよし、アミューズメント施設をのぞくもよし、できるだけバカバカしく遊んで、ストレスを発散してしまおう。会社員たるもの、腹にたまっていることがあったら吐き出してしまうことを旨としたい。

そして、そんなときにつきあってくれる友人や仲間を、ふだんからつくっておく努力を惜しまないようにしよう。

その努力とは？　相手が同じように、「今日はつきあってほしい」とＳＯＳサインを送ってきたときには、極力、都合をつけてつきあうようにすることだ。

よく、「家庭には仕事をもち込まない」「家では仕事の話をできるだけしない」という人がいるが、私はそうではなかった。なにからなにまでというほどではなかったが、けっこう家内に聞き役になってもらったものである。

もちろん、こうした関係も五分と五分。私も、ときには、女同士のもめごとの相談などにも乗らなければならなかったことはいうまでもない。

中間管理職は、会社員の胸突き八丁だ。周囲の力を借りながら、なんとかそこをクリアしたころ、けっこうストレス耐性も身についてくるはずである。

いい考えを見つけるには悪い考えを忘れるんだ

人生とは今日一日のことである。

――D・カーネギー

だいぶ昔、武者小路実篤《さねあつ》先生の色紙が大人気で、額に入った先生の色紙が飾られている光景をよく見た。多くは、野菜の絵に簡単な言葉が添えられている。一番よく見たのは、「何事もなきはよき哉《かな》」という言葉である。

正直にいえば、当時の私には、この言葉は合点がいきにくかった。なにかいいことがあったのならともかく、何事もなくて、なにがいいものかと思っていたのである。

だが、いまは違う。この言葉がいかに含蓄《がんちく》深いものであったかが、痛いほどに身に染みる。

私は若いころから、その日の予定をことごとく手帳に書き込んでおくクセがある。夕飯や風呂を終えて寝る時間になると手帳を開き、予定をつつがなく消化したかどうかチェックする。

この作業は、し忘れたことがないことを確認すると同時に、ことが問題なく進んだかどうかをチェックすることにもなる。トラブルやいさかいなど、なにか問題を積み残しはしなかったかを確認できるからだろうか。手帳のチェックを終えると、ほっとした気分になれる。「ああ、今日もいい一日だったな」という思いが、自然に胸に広がっていく。

悪戦苦闘だった一日もあれば、退屈だった一日もある。だが、ともあれ、今日という日は無事に終わった。この気持ちが、私を太平の眠りに導いてくれる。たっぷり眠れれば、朝はすっきり心地よく目が覚めるという好循環につながるのだ。

では、なにかあった場合はどうするか。

最近、よい言葉を教わった。「リセット」である。

デジタル機器を扱っているときやデジタルゲームをしているときなど、ちょっとしたミスやトラブルが起こると、リセットボタンを押すことで、画面はたちどころに「スタート」に戻るのだそうだ。

親しい小料理屋で聞くと、最近の若い人は、クサクサしたことがあっても、いつまでもイジイジしていない。「リセット、リセット」などと音頭をとって、大ジョッキを飲み干し、「ああ、すっきりした」とさわやかな表情を取り戻すのだそうだ。


花はその主の心の色に咲く。

――ことわざ

そこで、提案だ。

毎晩、寝る前に、「リセット」することを習慣にしてしまってはどうだろう。

リセットすれば、どんな日であれ、その日は終わり。悩みもトラブルも、失敗やいさかい、ゴタゴタ……すべてを取り消しにしてしまう。

「リセット終わり」「これでよし」などと、実際に口に出してみるのもよい。人間はきわめて単純な動物である。自分の言葉で、自分の感情や心理をかなりコントロールできるものなのだ。

長編小説『風とともに去りぬ』の強気一辺倒の主人公スカーレット・オハラでさえ、

すべてが失なわれてしまった日、故郷タラの土を手に、「明日は明日の風が吹く」と自分に言い聞かせるようにいっていたではないか。

そこで思い出すのが、日本ではじめての民間警備会社「セコム」をつくった飯田亮さんのことだ。伝え聞くところでは、飯田さんは、スカーレット・オハラ以上の楽天家であるようだ。なにしろ、「一寸先は光」が口癖で、「今日はここまでだったけれど、明日はどんないいことが待っているだろう」と、ドキドキするような気持ちでベッドに入るというのだ。

その楽天家ぶりは、創業何年かで社員が五〇〇人になったころ、「このまま発展したら社員が一〇万人を超えてしまう」と、すぐに機械警備を発案、新たな事業部門として立ち上げてしまったことにも現われている。

もちろん、生まれつきの楽天家ではなかったそうだ。事業をやっていれば、いろいろなことがある。それをいちいち気にしていたのでは、事業が尻すぼみになる。拡大していかない。「きっと先はよくなる。一寸先は光だ」と思うことで、今日まで事業を発展させてきたのだそうだ。

楽観するか、悲観するか。これは、自分の胸三寸なのである。

「楽しい」と「楽だ」はワンセット

人の弱さが、人生を究めるのに必要になってくることが、しばしばある。

――メーテルリンク

私は、「士会」という会に参加している。サムライ会と呼称は勇ましいが、実体は、医師ばかり一一人の集まりだ。数字の語呂合わせからの命名であって、武士道精神とは縁がない。だが、意外に伝統があり、誕生したのは一九二四年。大正一三年だ。父の茂吉も、以前は会員になっていた。

医師ばかりの会ではあるが、医学的な情報交換の場ではない。反対に、仕事の話、つまり医学や医療に関する話はタブーになっている。そして、医療を忘れて、みんなで楽しむことに終始している。目的は、一にも二にもこれに尽きる。

医者は、病院を離れても、四六時中患者さんのことが頭を離れないという「業《ごう》」を背負っている。それが使命であり、生きがいでもあるのだが、精神科の立場からいえば、ときには、こうした「縛り」から解放される時間をもつことも必要である。

「士会」は共通した「業」を背負っている仲間だから、「業」を避けて上手に群れ遊ぶ呼吸もピタリと一致する。長くつづいている理由も、そのあたりにあるのではないだろうか。

実は、家族の存在もこれに類する。

家族は、人生に、なんにもまして大きな充実感をもたらしてくれる。病院の若いスタッフが、結婚や子どもが生まれたことを機に、人が変わったように張り切り出すことがよくある。

だが、正直にいえば、家族の存在さえ、ときには重く感じられることがないといえばウソになる。

そんなときに必要なのが、「一人になる時間」である。

人は、結局は一人で生まれ、一人で死んでいく動物なのだ。一人の時間をもつことで、生きていくのに必要な覚悟とでもいうべき思いを静かにかみしめる。そして、本来の自分を取り戻していく。

私とて、家内が同窓会などに出かけ、家のなかで一人になると、細胞の一つ一つが、伸びやかに呼吸を始めるような実感がある。だが、それでいて、家内が帰宅すると、妙にほっとするのだから、われながら矛盾に満ちている。

一日の時間の三分の二を自分のために使っていない者は、奴隷《どれい》同然である。

——ニーチェ

どうも日本人は、一人で時間を過ごすことが苦手なようだ。ランチを一緒に食べる仲間の確保に神経をすり減らす「ランチタイム症候群」は、その象徴かもしれない。夜、酒を飲むときも、ほとんどは誰かを誘う。

飲食店なども、なんとなく一人で入りにくい雰囲気をたたえている。別に、「おひとりさまはお断わり」と書いてあるわけではない。もっと堂々と「おひとりさま」でお店に行き、一人の時間を楽しみたいものだ。

実際、そう呼びかけるインターネットサイトがあるそうだ。とりわけ、なにかと制約のありがちな女性を対象に、一人でも敷居が高くないレストランやバー、ホテルなどの情報を提供している。

たしかに多くのホテルで、少し前から、女性客限定のエステつき宿泊プランなどを提供し始めている。一人で過ごす価値ある時間を味わうとともに、一流ホテルに宿泊する非日常体験を、がんばった自分へのごほうびにする人が少なくないと聞く。

最近は、男性を対象にした、一人の時間プラス自分へのごほうびプランも登場しているという。あるホテルのプランは、その名も「俺の時間」なのだそうだ。フィットネスジムが無料で使え、たっぷり汗をかいて戻る室内には、マイナスイオンを大量に発生する観葉植物や高機能のマッサージチェアが置かれてある。ひととき、仕事や家族を忘れて、一人きりの時間を伸びやかに過ごせるようになっているわけである。

ときには仲間と。ときには一人で。チェンジ・オブ・ペースをはかりながら、自分の時間を楽しめる自分を育てていく。

とりもなおさず、それが、仕事に全力投球できる自分を育てていくことに通じるのである。

「いいことがあるか？」と想像するより「どんないいことが？」と想像しよう

できるか、と尋ねられたときはいつでも、
たしかにできると答えなさい。
それから急いで、どうすればいいかを探しなさい。
——セオドア・ルーズベルト

その日は、大通りからもれてくる喧騒《けんそう》がいつもと少し違った。安保《あんぽ》闘争のまっただなかの一九六〇年ころである。わが家の近くにも毎日のようにデモ隊の行進があった。日米安全保障条約の批准《ひじゅん》をめぐって日本中が賛否両論の嵐に包まれていた。ほんの半世紀前は、日本はまだ、大きな混乱と疾風怒濤《しっぷうどとう》の時代にあったのである。

喧騒がいつもと違うわけはすぐにわかった。その日はフランスデモだったのだ。

デモはふつう、スクラムを組み、一団となって押し進む。だが、フランスデモは、腕を左右に大きく伸ばして隣の人と手をつなぎ、道幅いっぱいに広がって進んでいく。一九六〇年、フランス、パリとくれば、ヘミングウエイの名作『移動祝祭日』を思い出す人も多いだろう。パリは喧騒とカオスにあっても、文化の匂い立つ街だ。フランスデモは、いうならば『移動祝祭日』的雰囲気にあふれ、どこか明るく、スクラムデモにくらべると悲壮感も薄らぎ、楽しげにさえ感じられたものだった。

当時はデモと並んでストライキも多かった。毎年、春闘（春に労働組合が全国共同歩調で行なう賃金闘争）のころには国鉄（いまのＪＲ）も私鉄もストに突入し、庶民は足を奪われて右往左往したものだった。

若い方は、デモやストという言葉になじみがないかもしれない。二〇〇四年秋にプロ野球がストライキを決行したときが、人生初の身近なストだった人も少なくなかったのではないか。デモにもストにも無縁の現在の日本は、春風駘蕩《しゅんぷうたいとう》、平和でありがたい時代だと思う。

おだやかで、前向きの日々を生きるためにも、デモとは縁を切ったほうがいい。

わが家では、いわずもがなのうちに、「デモは禁止！」と子どもらに伝えてきた。

むろん、親も「デモ禁止」だ。

あなたがコントロールすべき人間のなかで、
最も手ごわい人間、それはあなただ。

――J・ベックレー

といっても、この場合のデモは、「でも」という言葉をさす。わが家では、「でも」という言葉を禁句にしているのだ。

試みに、今日、何回「でも」と言ったか、数えてみるとよい。

「早く資料をまとめてくれないか」「でも、いま別件にかかっていまして」とか、「これ、体にいいよ」「でも、なんとなく嫌いなんだ」という具合に、「でも」は、気が進まないことをやらない言いわけに使われがちな言葉だ。「でも」には、自分をかばう作用があるのだ。「たしかに悪かった。でも、私だけのせいじゃない」というように、自分を甘やかすことにつながってしまうのである。

「でも」を自分に許していると、人生は少しずつあとずさりを始める。「でも」多発の結果は、「やればよかった」後悔になっていくのではあるまいか。

だから、「でも」を禁止する。すると、自然に姿勢がしゃっきりと前を向く。たとえばなにか頼まれたときの返事も、「やります」となり、さらに「喜んでやります」へと、しだいに明るく、力強くなってくる。

こうした言葉の力にあと押しされ、どんどん前を向いた生き方ができるようになっていくものなのだ。

たとえば旅に誘われる。「行きたい。でも」と言ってしまうと、仕事の都合がある、出費も痛手だ、と消極的になる。しかし、「でも」は禁止となれば、行きたいのなら返事は「行きます」と前向きになる。

不思議なもので、「行きます」と口にした瞬間から、すべては「旅に行く」方向に回転し始めるものである。仕事も大車輪で片づけるようになるし、お金のやりくりもなんとかなってくる。

私の数多い旅のほとんどは、「でも」禁止の結果、どうにか捻出《ねんしゅつ》された時間とお金によるものだった。これらの旅がなかったら、私の人生の味わいは半減、いや、決定的に光彩を失なっていたかもしれない。

「でも」禁止は、われながら正解だったと思っている。

思わず一歩退くくらいなら思わず一歩進んでみよう

気力は気力をつくる。

――サラ・ベルンハルト

四〇代のはじめに私が病に倒れた原因は、過労である。

本当に夜昼なく、休みもなく働きまくったものだ。いくら丈夫に生まれついても、体が悲鳴をあげるのは無理もなかった。

いまも、人生なかばで病を得る人は少なくない。糖尿病や高血圧などの生活習慣病や、うつなど心の病は、ちょうど、この年代ごろに発症することが多い。

だが、私自身は、このとき病になったことを、心底ラッキーだったと思っている。これを機会に、心身ともに健康に暮らす方向に人生の舵《かじ》を切ることができたからだ。

タバコをやめることもできた。

どんな体験も、かならずプラスとマイナスをセットでもっているものなのだ。もし、病気に倒れたら、「病気になった以上は、きっといいことがあるだろう」と思っていれば、間違いない。

『夜と霧』は、のちにロゴテラピーという分析的精神療法を創始した精神科医フランクルが、ナチスの強制収容所で過ごした体験をもとに書いた作品で、多くの人に感銘を与えた。このなかで、私が最も強く印象づけられたのは、フランクルの右腕となった看護婦が病気になり、長い療養を強いられたとき、フランクルが彼女に向かって、「しっかりと病みたまえ」と言ったというくだりである。

彼女は、責任感が強く、自分が病気になって患者の世話ができなくなってしまったことを悔やみ、泣きつづけた。

それを見たフランクルは、「君はいま、看護婦ではなく、患者なのだ。患者さんは、みな、君がどのように闘病するかを見守っているはずだ。しっかりと病んで、模範的な患者になりたまえ」と言ったのである。

大いなる慰めと励ましの言葉であったろう。

自分が不幸だと考えないかぎり、
この世には不幸なことはなに一つない。

——セネカ

宅配ピザ「ピザーラ」ほか、飲食業を中心にさまざまなビジネスを展開しているフォーシーズ社長の浅野秀則さんのことを人から聞いたことがある。

浅野さんも、ひどいけがをして病床にあるとき、同じような言葉をかけられて奮起した一人だという。

浅野さんは大金持ちの御曹司《おんぞうし》に生まれ、順風満帆の人生だったというが、それは高校二年まで。父親が突然、脳血栓で倒れ、意識が戻ったものの言語障害が残り、社長の座を追われてしまう。

浅野さんも、小づかいにも不自由するようになり、いろんなアルバイトに手を出すようになった。その後、若くしてクラブハウスの経営に乗り出した。ところが、このクラブハウスが火事を出し、大やけどを負ってしまう。三〇〇針も縫う大手術をし、リバビリを含め、社会復帰までに一年を要したという。当然、大赤字も背負い込んだ。

浅野さんの母上からすれば、夫は倒れ、息子は大けが、そして大赤字。どん底である。だが、このとき母上は、なんと「あなたはラッキーね」と言ったのだそうだ。「人間が一回失敗して、そこからまた立ち上がるところを体験できるじゃない」というのが、その理由だった。

いまは経営者として成功した浅野さんだが、実は失敗に終わったビジネスもかなり多いらしい。だが、失敗するたびに「ラッキー」と考えてきた。失敗したからこそ、次には、「どうすれば失敗しないか」と成功へのビジョンをより正確に描くことができるようになるからだ。

そういうふうに強く生きられるようになったエピソードがある。子どものころ、坊ちゃん育ちの浅野さんは、人前では大きな声が出せなかった。でも、父親が倒れて状況が一変、これではダメだと思い、住んでいたマンションの屋上で、毎朝、「オレはラッキーだ。やるぞぉー！」と声を張り上げて叫んだという。こんな努力で自分の印象を快活で豪胆につくり変えたのだというのだ。

不幸と見える体験もラッキーに変えられるのだ。そして、意志さえあれば、ある程度は、自分がなりたいように自分をつくり変えることができるのである。

不運が続くのは幸運が順番待ちをしているんだ

これがどん底だなどと言っていられる間は、どん底にはなっていないのだ。

――シェイクスピア『リヤ王』

二〇〇三年は年間三万四四二七人を数えた自殺者が、〇四年には三万二三二五人に減った。このニュースに触れて、私は、心底ほっとした。

自殺にはさまざまな事情があるだろうが、精神科医の立場からいえば、自殺をする瞬間は、誰でもほとんど「正気を失なって」いる。

最近はどうかわからないが、以前は、自殺の名所とされる場所には「ちょっと待て。死ぬ気になればなんでもできる」などと書いた看板が立っていたものだ。死のうとまで思い詰めた人間が、こんな立て看板一枚で自殺を思いとどまるはずはない……と言いたくなるが、実際は、この看板は、それなりに効力があったとされる。

なぜなら、一瞬、死への思いを止めることができれば、死の誘惑はすーっと遠のいていくものだからだ。

自殺者の年代を見ると、最も多いのは六〇歳以上。以下、五〇代、四〇代……と年代が下がるほど、自殺者は激減する。

男女別では、どの年代でも男性は女性の倍以上だ。六〇代以上になると男女差はやや縮まるが、それでも男性のほうが女性よりずっと多い。

生きていれば、いいときもあれば、悪いときもある。歯車が狂い、思うようにならない日々がつづくこともある。そんな場合も、女性のほうが現実をドンと受け止めてしまうものらしいのだ。

わが家は、その典型だった。

父はどちらかというと、グジグジと悩むほうであり、反対に母は、うしろを振り返ることはいっさいしなかった。

祖父が元気で、父がまだ若く、私が幼い子どもだったころ、斎藤家は東京を代表する名家だったと思う。私が生まれた青山脳病院は、屋根の上に四つの尖塔をもつ壮大華麗な「ローマ式建築」で、東京名物の一つに数えられていた。都心の大部分を瓦礫《がれき》の原と変えた関東大震災にもしゃんと残るほど、堅牢な建物でもあった。

人生は自転車に乗るのと似ている。
あなたがペダルを踏むのをやめないかぎり倒れないから。
——クロード・ペッパー

だが、こともあろうに、この病院は、関東大震災のちょうど一年ほどのちに、火事で焼け落ちた。

父はこのときドイツ留学からの帰途にあり、青山脳病院焼失の電報を、香港から上海に向かう海上で受け取っている。

おまけに、火事の一か月ちょっと前に、火災保険が切れていた。当時、院長を務めていた祖父が、きわめて雑駁《ざっぱく》な人であったことが原因だ。

そのために父は、病院の再建に、ひとかたならぬ苦労をした。金策のために、文字どおり全国を駆けめぐり、知人という知人から金を借り回った。

それでも金は足りず、建築会社から連日、金の催促の電話が入る。よほど電話には懲りていたらしく、戦後、私が開業のまねごとをしようとしたとき、父は「電話はつけるな」と奇妙なアドバイスをしたほどだった。

明日のことを心配するな。
明日は明日が自分で心配する。

――『新約聖書　福音書』

だが、どんなに苦しいことも、一生、つづくことはない。その後、わが家は、どうにか病院を再建することができた。二回ほど移転したが、現在までそれなりに命脈を保っている。

人生、これで終わりだ、どうにもならない、ということなど、ない。わが家の歴史も、それを物語る一つの証《あかし》といってよいだろう。

現状が苦しくてたまらないなら、しばらく考えることはヤメてしまうという手もある。そうして、とにかく、日々を淡々と生きていくことだ。

気がつけば、あなたはきっと、最もつらいところを抜け出しているはずだ。

始める前に自信は不要だ 始めれば自信が出るから

重大な局面にあっては、
ほんのちょっとのことが、最も大きな影響力をもつ。
——ナポレオン

母は強しという。

私はこの言葉を、関東大震災のときにしっかりと脳裏に刻み込んでいる。

震災が勃発したとき、夫の茂吉はドイツ留学中、院長である父親は箱根に行って不在だった。そんななか、母が敢然と、武家の娘のようないで立ちで、一人、病院内を見回ったことはすでに述べた。

母は内心、そうとうおびえていたと思う。

しかし、母には、「こういうときこそ、自分がしっかりしなければならないのだ」という潔い覚悟があった。

わが家には、当時、個人の家ではめったにお目にかかれないピアノがあった。祖父のドイツ留学みやげで、ふたをあけると、有名なブランドであるBechstein《ベヒシュタイン》と金文字が光っていた。それを、子ども心にもまばゆいものとしてしばしば見ていた記憶がある。

母はときおり、ピアノを弾いてくれた。

父はある時期、長崎医専（いまの長崎大学医学部）精神科教授として長崎に赴任していた。そのときも、長崎の家に貸しピアノでもあったのだろう。そこで母が弾いたウェーバーの『舞踏への招待』が、いまも私の耳の底で、ときどき小さく、なつかしく響き出す。

関東大震災のとき、わが家は幸運にも焼け残り、ベヒシュタインも無事だったが、なんと母は、震災後に病院を見回るなかで、このベヒシュタインを弾いていたというのである。

私は、このときのピアノの音は記憶にない。この話はわが家の近くにお住まいだった方から、のちに聞いた話である。

母のピアノの音が外にこぼれると、町の人が「この非常時にピアノを弾くとはなにごとか」と怒鳴り込んできた。すると母は少しも騒がず「私は自分の気持ちを鎮めるために好きな曲を弾いているのです。ピアノを弾いてなにが悪いのですか。あなた方も、むやみに興奮しないで、落ち着いているほうが大切ですよ」と言ったという。

相手がグゥの音《ね》もなく引き下がったことはいうまでもない。

この世で最も強い人間は、
どんな状況のなかでも、ただ一人立つ人間だ。

——イプセン

旅行会社「エイチ・アイ・エス」を、海外旅行ではＪＴＢに次いで国内二位の企業に育てた澤田秀雄さんの言葉を思い出す。「どんな苦しいことでも、一晩寝れば忘れるようにしています」というのだ。

澤田さんは、一九八〇年、ワンルームマンションに机二つ、電話一本で起業した。資金は、ドイツ留学中にアルバイトでためた一〇〇〇万円。これだけあればなんとかやっていけるだろうという見込みは甘かった。事務所を借りるだけで四、五〇〇万円が消えてしまう。仕事はすぐには動かない。息を吸うごとにお金が消えていくような気がして、絶体絶命だと思ったことも何度もあったそうだ。

澤田さんは世界の五〇か国ほどを旅し、死にかけた経験をもっている。このときは、じっと耐えることでどうにか生き延びた。

この経験から、苦しいときほど、一呼吸し、ひたすら待つという知恵を身につけた。そこから出たのが「一晩寝れば……」の発想のようだ。

にっちもさっちもいかないときほど悩むことをやめ、なけなしの金でビールなど飲んで、旅の思い出をあれこれ語っては腹の底から笑っていたそうだ。

そうなのだ。どうにもならないのにくよくよ悩んでもムダである。それより、楽しい気分のうちに寝てしまおう。「起きれば、きっとなにかが変わっている」と信じて寝てしまうのだ。

「一瞬先は闇ではなく、一瞬先は光」というのも澤田さんの口癖だと聞く。

期せずして、前出のセコムの飯田亮さんと相通じる発想である。成功の要諦の一つなのだろう。

闇と見える暗がりも、落ち着いて目を凝《こ》らせば、やがて動くものの存在が見えてくる。そこを逃さず飛びつけば、チャンスは必ずものにできる。

ただし、かすかに動くものの存在に気づくには、こちらがドーンと落ち着いていることが絶対条件だ。

2章　＊　心がわくわくする言葉

「楽しい一計」を案じよう

したいことを減らすと実現しない
したいことが増えると実現する

少年時代に野球を覚えたとき、
「ドンマイ」という言葉を覚えた。
人生は「ドンマイ」だ。

——元西武ライオンズ監督　森祇晶

私は幼いころから、母に、「さあ宿題をしなさい」「もう勉強はすんだの」と尻をたたかれたことがない。
かわりに母は、好きなもの、楽しめるものの種《たね》を、私にたくさん植えつけてくれた。旅行、うまいものを食うこと、乗り物への好奇心……これらは、すべて幼い日から母が私をあちこち連れ回し、原体験をさせてくれたおかげである。

母が「茂太に楽しみの種を植えよう」という高邁《こうまい》な考えのもとに、私をあちこち連れ歩いたわけではなかったことはわかっている。いうならば私は「ダシ」であった。母は、なにより自分が行きたい気持ちから、「茂太を汽車に乗せてやりたい」「茂太にあれを見せたい」と私の手を引いて家を出たのであった。

人生のある時期には、猛烈な勢いで、自分を高めるためにがんばることが必要だ。私とて、四〇代のはじめごろまでは休みらしい休みもとらずに働いた。そうしなければ、家族の暮らしや病院の経営が立ち行かなかった。

だが、そうした日々を乗り越えられたのも、母が仕込んでおいてくれた、楽しめるものの種があったためである。

たとえば、病院の資金繰りが悪化し、ふつうなら夜も眠れぬほど気を病むような状況のときも、私は、その日できることをすべてやり終えると、飛行機の本などに手を伸ばしたものだ。

好きな世界のすごいところは、さっきまで銀行の態度に憤懣《ふんまん》やるかたない思いでいたのをコロリと忘れ、パッと飛行機の魅力にはまってしまうことだ。やがて気分は舞い上がり始め、いい気分になっていく。

こうして、私なりに苦しいときを何度となく乗り越えてきた。

勉学にいそしむ種のほうを植えつけられたらどうなったか。

未体験なのでなんともいえないが、少なくとも、こんなに楽しく生きられなかったことは間違いなさそうだ。

どうも、人生は楽しんだもの勝ちだという感じが強い。一仕事終えたら一休み、一楽しみするという習慣をぜひおすすめしたい。


世の中に、自分で試してみないでわかることなんか、一つもない。

——五木寛之

飛行機好き、旅好きとあって、私は、『星の王子さま』の著者であるサン・テグジュペリの生涯に興味をもっている。はじめてフランスのリオンを訪れたのは、その生家を探すためだったくらいである。

リオンには、日本からもグルメが殺到することで知られる有名レストランがいくらもあるが、私はそれらに目もくれず、彼が一九〇〇年に呱々《ここ》の声をあげたリオン市アルフォンス・フォッシュ街八番地のアパートを探した。

大きな扉の上に、ここが彼の生家であることの証である碑銘が掲げられていた。サン・テグジュペリはここで生まれ、幼児期を過ごしている。ここから仰いだ星が、のちの彼をつくったのかもしれない。

凝り性の私は、さらに彼の死に場所も見たくなり、コルシカ島も訪れた。そして、彼が最後に飛び立ったボルゴ村の小さな空港まで訪れている。

長い間、サン・テグジュペリは飛行中に墜落し、アルプス山中の氷のなかで眠っていると信じられてきた。だが、その後、彼は偵察飛行中、ドイツ軍に発見されて追撃され、地中海に墜落したことがわかり、二〇〇四年には、サン・テグジュペリが乗った飛行機がマルセイユ沖で引き上げられた。

となれば、マルセイユ沖もいつか、船旅で訪れてみたい。

楽しみの種をたくさんもとう。

楽しみの種をたくさんもっていると、何歳になっても駆り立てられるものにこと欠かない。そして、行動する気力、楽しむ心も、けっして涸《か》れることがない。

美味でないなら滋味を味わおう

最も長生きした人は、
最も多くの歳月を生きた人ではなく、
最もよく人生を体験した人だ。

――ルソー

ふとテレビをつけると、世界何十か国を旅したという「旅の通《つう》」が、旅の極意を披露していた。彼いわく、どこの国に行っても、まず、「こんにちは」といった声かけのあいさつ言葉と、「ありがとう」「トイレは?」それに値段を尋ねる「いくら?」さえ覚えておけば、だいたいオーケーだという。あとは、一から一〇までを手の甲に書いておけば万全である。手のひらだと汗でにじんだりして読めなくなることがあるからだそうだ。

私もほぼ同意見だが、もう一つだけ言葉を加えたい。

それは「乾杯！」である。

どんな民族でも、酒をもっている。客人とともに酒を飲むことは、人生、最高の楽しみの一つなのだ。そのとき高らかに放つ言葉を客人が知っていてくれたら……。そのことだけで、もう一回、乾杯ができるくらい盛り上がる。

スコットランドを旅したときも、酒を飲むときの言葉をさっそく仕入れた。「トースト」や「チアーズ」ではない。それらは英語。イングランド人の言葉だ。スコットランド人はいまもみずからを「スコティッシュ」といい、けっしてイングリッシュだとは思っていない。

私が仕入れた言葉は「スランジバ」。現地語であるゲール語の「乾杯」だ。

私はこの言葉をかなり乱発した。ディナーの席ではもちろん、まず「スランジバ」、ランチのために入るパブでも「スランジバ」。かの地ではランチにもビールぐらいは飲むからだ。

加えて、スコットランド独特の料理「ハギス」の摩訶《まか》不思議な味に舌鼓を打つときも、また「スランジバ」を唱和する。

まず食うこと。それから道徳。

——ブレヒト『三文オペラ』

どこに行っても、私は、その土地ならではの味を食べる。

何回かのスコットランド旅行では、それは「ハギス」であった。実は、前評判はかなりよろしくなかった。イングランド人に言わせると、「飢え死にするか、ハギスを食べるか。究極の選択だ」というぐらいだ。

だが、前評判でひるんだとあっては、なにごとにもポジティブであれ、というわが処世訓にもとる。そこで、はじめてのスコットランド旅行のとき、勇をふるって「ハギス」とオーダーしてみた。すると、ややあってから、ラグビーボールのようにふくらんだソーセージのようなものが運ばれてきた。切り分けると、なかから得体の知れないものがはみ出してくる。

口に入れると、これまたなんとも形容しがたい味である。美味とはいえない。では、まずいかというと、そうでもない。なんとなくあとを引き、けっこう進む。

聞けば、ハギスの正体は、ヒツジの胃袋にオート麦と内臓肉を混ぜ合わせて詰め、蒸し焼きにしたものだという。香辛料とバターが効いており、しだいにその微妙な滋味のとりこになってしまう。とりわけ、黒ビールには合うようだ。

スコットランド出身の詩人ロバート・バーンズは「ハギスに捧げる詩」を書いている。そのゆかりか、スコットランドでは、バーンズの誕生日である一月二五日は、どの家でも家族が集い、バーンズの詩を朗読しながら、ハギスにナイフを入れる習慣があったそうだ。

ちなみに、ハギスとは、ハイランドの山中にすむ三本足の伝説上の動物のことだそうだ。

スコットランドのみやげ屋をのぞくと、ハギスのぬいぐるみも売っている。

この話を聞いてからは、私はなんとハギスが好きになってしまった。

こんなふうにして、私は世界各地で、さまざまな美味、珍味を味わってきた。それらが、私の人生に、文字どおり「味わい」を添えてくれている。

人一倍、好奇心が強いこと、人の二、三倍、食いしん坊に生まれついたことを、しみじみ感謝している。

行き帰りを楽しむことが目的地を楽しむコツなんだ

人生はつくるものだ。
必然の姿などというものはない。

——坂口安吾

だいぶん整理したとはいえ、私にはまだいくつかの肩書がある。なかでも一番の愛着をもち、大切に思っているのが「旅行作家協会会長」である。

旅好きなのは、斎藤家に流れるDNAの一つなのだ。

祖父・紀一は、長男に「西洋」と名づけている。誕生したとき、自分が西洋にいたという理由からである。たしかに祖父は一九〇〇年（明治三三）に「西洋」に渡ってドイツに学び、帰途、フランス、イギリスなどを旅して、一九〇三年一月に帰国している。当時としては大旅行であったはずだ。

ちなみに祖父は、アメリカ滞在中に生まれた次男には「米国《よねくに》」と名づけている。

余談だが、このころロンドンに夏目漱石が留学していた。漱石にはけっして楽しい留学ではなかったようで、ついには留学生の間で「漱石が狂った」と噂になったり、そんな電報がロンドンから文部省に打電されたりしたという話が伝えられている。まあ、「狂った」はオーバーで、うつではなかったかと思われる。祖父は、その漱石と、帰りの船が一緒であった。

そういえば、父・茂吉は、漱石の弟子ともいえる芥川龍之介の診察をしている。父は芥川の精神安定のために薬を出したが、父の書いた処方箋が、現在、近代文学館に残っている。

紀一の娘であった母・輝子もまたよく旅をした。

一九七〇年代の後半にグリーンランド、アイスランドを旅し、さらには南米のアマゾン、ガラパゴス島、イースター島と歩き、七九歳で南極までも足を延ばしている。

私はのちに母の旅行距離を計算したことがある。その総旅行距離は、実に一四三万八八〇〇キロメートル。月へほぼ二往復の距離だった。

なにかを待つって、その楽しさの半分にあたるわ。

——モンゴメリー『赤毛のアン』

母が健在であれば、わが家はいまごろ、二二億円もの金策に頭をかかえていたに違いないと思う。個人が宇宙へ旅行ができる時代がいよいよ始まったからである。すでに二〇〇一年、アメリカの実業家デニス・チトー氏が世界初の民間人としての宇宙旅行を体験し、〇二年には南アフリカの実業家マーク・シャトルワース氏も宇宙へ行っている。こんなニュースを耳にしたら、あの母のことだ。即座に「行く」と叫び、すぐにも行動を起こしていただろう。

だが、ロシアのソユーズ宇宙船で飛び立ち、一週間、国際宇宙ステーションに滞在する旅程の経費は、事前の訓練費用を含めて二二億円である。

といって、母を止めることは誰にもできない。しかし、この額を聞いては、分別というもののある私は、あきらめざるを得ない。

だが、最近、耳よりなニュースが入ってきた。もっと廉価（?）で宇宙旅行ができるというのだ。イギリスのヴァージン・グループが設立する民間宇宙ツアー企画ベンチャー企業「スペースシップ・カンパニー」がそれだ。この会社の宇宙ツアーの価格は、一人あたり約二〇万ドル（約二二〇〇万円）である。

　日本ではＪＴＢが本格的な宇宙旅行を売り出すという。ツアーメニューはきめこまかく、「月旅行二〇〇億円コース」「宇宙ステーション一週間滞在二二億円コース」から手軽な「一時間大気圏外の宇宙から地球を見るツアー一〇〇〇万円」まである。

とはいえ、白状すれば、私のへそくりは一〇〇〇万円には、かなり足りない。家内が一〇〇〇万円をポンと出してくれるとも思えない。そうでなくとも、家内は近ごろ、私の健康管理のために外出にやたらとうるさくなっているのだ。

　あれこれ思いをめぐらせているうちに、ふっと、私は宇宙船の乗船券をもっていることを思い出した。

　もう二〇年以上も前、日本テレビが、日本の科学技術の発達を描いた『人力車から宇宙船まで』という番組を制作した。番組には私と母が招かれた。母が通学に使っていたのと同じ型の人力車や、昔ウチにあったのと同じT型フォード自動車などが登場し、見ごたえのある番組だった。そして実は、その番組の最後に、私と母は宇宙船の乗船券をいただいたのだ。あの乗船券の有効期限は、いつまでだったろうか。

小さなことも誠実に行なえば大きな幸福に結びつく

自然は、それを愛するものの心を裏切ることはけっしてない。

――ワーズワース

二〇〇五年七月、北海道の知床半島が世界自然遺産に登録された。日本では、屋久島、白神山地につぐ三番目の登録である。

知床といえば頭に浮かぶのが流氷だ。日本で流氷が見られるのは、知床半島などオホーツク海に面する海岸だけという。

秋の終わりにはサハリン島の北東で海水が凍結を始め、北海道沿岸に流れてくるのは一月のなかばをすぎたころからだ。大小さまざまな無数の氷片が海面を埋め尽くす。

湖のように一枚に結氷しないのは、海では、真水の部分だけが凍るからだ。はじめに、小さな氷の結晶（氷晶）が海面近くにたくさんできる。六角形、針状、角板状などさまざまな形の氷晶が静かに成長し、からまり合って薄い氷板をつくる。こうした氷板が、最高時には、オホーツク海の八〇パーセントを埋め尽くすというのだから壮観だ。

そんな様子を上空から見てみたいものだと思う。

聞きかじりだが、氷は厚いところで一五〇センチメートルほど。北海道沿岸あたりの流氷は四〇〜五〇センチぐらいだという。仮にこれだけの流氷を熱して溶かそうとすれば、必要な熱量を得るのに、日本の石油輸入量の二五年分が必要だという。自然のスケールのとてつもない大きさを思い知らされる。

知床の世界自然遺産認定のニュースを聞いて、さっそく現地に飛んだ知人が、クリオネの絵はがきを送ってくれた。流氷の下に棲息する小動物で、冷たい海底に住んでいるとは信じられないほど幻想的でかわいらしい姿をしている。

オホーツク海を見晴らす小高い丘にある氷海展望塔オホーツクタワーで、本物のクリオネを見ることもできるそうだ。体長一〜三センチの小さな体を、ひらひらと天女の羽衣のようにひるがえしながら海中を自在に泳ぎ回るのだという。まさしく、氷海の妖精の異名がぴったりだ。

それにしても、この小動物の正体はなんなのだろう。さっそく調べてみた。

正式な学名クリオネ・リマキナ。日本名はハダカカメガイ。和名から想像がつくように、巻き貝の一種だそうだ。だが、貝殻が退化してしまったようで、すでにクリオネに殻はない。

一枚の絵はがきが届いたことで、この日の午後は、クリオネについて調べたり、流氷に思いを馳せたりで、大いに楽しむことができた。


友はもう一人の私だ。

——キケロ

はがきの主とは、何回か海外の旅をご一緒したことがある仲だ。

そういえば、朝など、ホテルのフロントで絵はがきを送る手配をしている姿を何度もお見かけしたものである。

彼女いわく、「最近は、わざわざ日本に買って帰るようなおみやげを見つけるのがむずかしいでしょう。でも、絵はがきを現地から送るって、いうならば旅のおすそ分け。私は、これが一番の旅のおみやげだと決めているの」と。

至言である。

私もかなり筆マメなほうであるが、父も非常に筆マメだった。しかも、弟子といわず、仲間といわずどんどん出す。ときには夫婦の性生活に首を突っ込むような手紙まで出していた。

若いころは、なんとまあお節介なことを！　とあきれていたものだ。だが、私も年齢を重ねるにつれ、そうした手紙の行間に、相手に対する父のなみなみならぬ愛情がにじみ出ていることに気づくようになってきた。

関心や愛情をもたない相手には、はがき一枚だって書かないものだ。

最近は、パソコンや携帯電話から電子メールを送ってそれで終わり、という人が増えている。

だが、そんな時代だからこそ、オホーツクから届いた一枚のはがきが、私を半日、やわらかな幸せで包んでくれるのだろう。

人を集めよう幸福が集まる

よい人に交わっていると、
気づかないうちに、よい運に恵まれる。

――安岡正篤

ＩＴ（情報技術）社会という言葉が出始めたころ、ＩＴを「イット」と読んで失笑を買った政治家がいた。恥ずかしながら、私もその部類に属する。ＩＴ長者などと聞いても、なんでそう儲かるのか想像もつかない。

そんな私でも、インターネットサービス企業「楽天」の社長・三木谷浩史さんのお名前と顔は存じあげており、非常に親しい感じをもっている。

とはいえ、この親近感は、もっぱらこちらの一方的な感情だ。パーティーなどで接近遭遇したことはあるかもしれないが、個人的なおつきあいはない。それなのになぜ親近感を抱いているかというと、三木谷さんが、かなりのパーティー好きだともれうかがったからである。

なんと毎月、会社のスタッフの誕生パーティーを開いているそうだ。レストランを借り切って、その月生まれの社員を招く。そして盛大に飲んだり食べたりし、一人一人に三木谷さん自身からプレゼントを手渡す。すべての費用をご自身のポケットマネーでまかなっているそうだ。

ふつう社長といえば、一般社員にとっては雲の上の存在になってしまいがちだ。しかし三木谷さんは、こうしてできるだけ社員とフレンドリーな人間関係を結び、自身もそれを楽しんでおられるようなのだ。

これが、パーティー好きの私が三木谷さんに親近感を抱くゆえんである。

二度も大火にあったわが家にも、写真のアルバムが一、二冊残されている。古びたアルバムのなかに、学校に上がるか上がらないくらいの年頃の男の子と、ふっくらとした顔の女の子が庭を眺めている写真がある。

これは、世田谷三宿の平福百穂画伯のお宅にうかがったおりの写真である。その日は画伯のお宅で、いまでいうパーティーのような催しがあり、私（男の子）も画伯のお子さんたち（女の子）に取り巻かれ、もてなしを受けたのだった。庭には模擬店のようなものも出ていて、珍しさに目を見張った記憶が残っている。私のパーティー好きは、このパーティーデビューがルーツになっているのかもしれない。

書物よりも、生きた人間から受けた影響のほうがずっと大きい。

――田山花袋

パーティーの一番よいところは、人との出会いが増えることだ。人の交流範囲は意外にかぎられている。日常は、会社の同僚とか、学生時代の仲間とか以外のつきあいはほとんどない人が珍しくない。

それでは、人のつながりは広がらない。

「下手なパーティーに行くと飲食物が少なかったりして、会費のモトが取れない」などとボヤくのはやめよう。もともとパーティーは飲食が第一の目的ではない。一人でも二人でも知り合いができたら、大収穫があったといえる。

「私にはパーティーの招待状なんか届かない」という人は、招待状はどこからか忽然《こつぜん》と舞い込むものだと思い込んでいないだろうか。招待状が届かないなら、自分で出すほうに回ればいいだけの話である。

学校の同窓会の幹事の話を聞いたことがある。毎年つづいている場合ならともかく、しばらくぶりで同窓会をやろうとすると、まずクラスメートの連絡先を集めるところから始めなければならない。かなりの時間と気苦労が必要だと言っていた。でも、自分が率先して苦労を買って出たからこそ、同窓会が実現できた。久しぶりに旧友が顔を合わせれば、一瞬にして時計は逆転し、学生時代そのままの気取らない交わりが戻ってくる。その瞬間、大きな気苦労は大きな喜びに変わるものだとも述懐していた。

同じ会社や部署で仕事をしていた人の集まりを復活させるのもよい。

その席には、パートナーや友人も連れてきてよい、という決まりにする。こうしてパーティー・ネットワークを広げていけば、出会いのチャンスは次々とかぎりなく拡大するのではないか。

私のような年齢になっても、毎週のようにパーティーの招待状が届く。こんな人生もなかなかに楽しいものである。

なにを笑うかで人間がわかる
なんでも笑えれば人間は変わる

一度でも心から笑ったことのあるものは、
救いがたい悪者にはならない。

——カーライル

お笑いブームだそうだ。テレビをつけ、いくつかチャンネルを変えてみると、どんな時間帯でも、たいていお笑いタレントの顔が出てくる。いまやお笑いタレントは、若い世代の人気ナンバーワンだと聞く。

昔なら眉間《みけん》にシワ寄せて国の将来や人生の行く末を考え込み、行動していた世代が、いまはお笑いタレントの一挙手一投足にたあいもなく笑い転げている。世界中で、これほど若者がノーテンキな国はまれといえるかもしれない。少し前のサントリーの広告ではないが、「いったい日本はどうなるのだ」と天を仰いで慨嘆したい気持ちもないではない。

だがそれ以上に、一億二〇〇〇万人が笑い転げていられる国、日本の平和と豊穣《ほうじょう》をありがたく思う気持ちのほうが強く湧いてくる。

このお笑いブームを底支えしているのが、吉本興業であるらしい。テレビのお笑い番組の実に半分近くに吉本のタレントが出演しているというし、制作を引き受けている番組も少なくない。

吉本興業の創業は、一九一二年（明治四五）だ。吉本吉兵衛・せい夫婦が、大阪で天満八軒と呼ばれていた寄席《よせ》の一つ「第二文芸館」を入手して、寄席経営を始めたことがスタートだった。

大阪は芸事、演芸の町でもあり、笑いに関する成熟度が高い。それが吉本興業を鍛え上げていったのだろう。「大阪で修業した芸人が、東京でお笑いをやるのは楽」と吉本興業の社長さんが本で語っていた。

とかく日本人は、国際舞台ではユーモアに欠けていると指摘されることが多い。だが、大阪にかぎらず、もともとはお笑いセンスにすぐれた国民だったのだ。

落語一つとっても、その始まりはなんと法話にさかのぼるそうだ。

一六一三年（慶長一八）、京都の大本山誓願寺の五五世住職となった安楽庵策伝《あんらくあんさくでん》は、それまでは武家や上流階級相手だった法話を、庶民にも親しみやすいものにしたいと考え、オチをつけ、ユーモアに富んだ話術で、おもしろおかしく語るようにした。これが落語の始祖といわれている。

ちなみに落語家の始祖は、その後の延宝・天和年間（一六七三〜一六八四）に、京都の北野天満宮や祇園《ぎおん》真葛ケ原でおもしろ噺《ばなし》を辻で話した「露の五郎兵衛」をさすとされている。

どうしてどうして、日本人は数百年の昔から、こむずかしいことでも笑いながら話し、それを聞いて笑い転げるという高等技術を磨いてきているのである。

神の前で泣き、人の前で笑え。

――ユダヤの格言

吉本興業のように、お笑いの提供をビジネスにしている企業は、世界でもほかに例がないという。まさしく、世界でオンリーワン企業なのだ。

オンリーワンであるとともに、笑いは世界の共通語だ。だったら、吉本は世界に通じ、やがてはナンバーワン企業になれるのではないか。

そう思っていたら、吉本興業はすでに台湾、ハワイ、ラスベガスなどに進出を始めているのだそうだ。お笑い番組の輸出だけでなく、現地でお笑い番組の制作にからんだり、ラスベガスではコメディ・ショーをプロデュースしたりしているという。

ゆくゆくは、お笑いのテーマパークを各地につくっていきたいという計画も進めているらしい。お笑いのディズニーランドというところだろうか。

私は、この計画を聞いて、ひそかに喜んでいる。日本の輸出品といえば工業製品、というばかりでは、ちと寂しい。お笑いでも輸出大国になれれば……と想像しただけで、愉快になってくる。

そうなるためには、われわれ日本人は、もっと笑い巧者にならなければならない。日本に行くと、みな、なんともにこやかな表情をしている……。そんな評判が立てば、GDP（国内総生産）だのODA（政府開発援助）だのの額をひけらかさなくても、世界は日本を一流の国として認めてくれるはずだ。

第一、私たち自身が、笑顔の分だけ、幸せになる。

感情で表情が変わる人より表情で感情を変える人が賢者

笑いと泣きの間は長くはなくて、ごく短いことがしばしばだ。

——ジャマイカのことわざ

進化論で知られるダーウィンは、サルもうれしいときは笑うという説を唱えている。かわいがったり、じゃらしたりすると、明らかに表情をくずして笑顔になるというのだ。ダーウィンを信用しないわけではないが、残念ながら私自身はサルの笑顔を見たことがないので、なんともいえぬ。

もう一つ見たことがない笑顔がある。

うつなどで精神を病んだ患者さんの笑顔だ。患者さんと接していて、うっすらとでも笑顔を見せてくれるようになると、心底ほっとする。快方に向かった証拠といってよいからだ。

笑顔は、言葉以上に豊かな表現力をもっている。

私が海外旅行好きなのは、外国では、知らない人でも、目が合うと、にっこりとほほえみかけてくれることと無関係ではない。とりわけ、若く美しいレディが、匂うがごとき笑顔を浮かべてくれると、その日は、なにかいいことがあるようなうきうきした気になろうというものだ。

実際、笑顔には体の奥底からエネルギーを誘い出す効果があることが知られている。最近は、笑いの効果の科学的研究も進んできた。一例が、筑波大学大学院人間総合学科研究科看護科学系の林啓子助教授による「笑いが血糖値を抑える」という研究だ。

糖尿病の患者さんを二つのグループに分け、一方には、食後、漫才を見せて笑ってもらう。もう一方にはむずかしい講義を聞いてもらう。それぞれの血糖値を比較したところ、「漫才グループ」のほうが、「講義グループ」よりも血糖値が四〇パーセントも低くなっていたという。

そこで林さんたちは、漫才などを見なくても、笑ったのと同じ効果が出る工夫を考えた。それが「笑《え》み筋体操」である。テレビ番組で見たが、なかなかおもしろいので、番組から「笑み筋体操」を再録させていただく。

①準備運動

ストレッチで体をほぐす。手をこすり合わせて温め、顔に当てて筋肉の緊張をほぐす。

②たこ焼き体操

両手の親指と人さし指で、○《マル》をつくる。

この○を、頰《ほお》の高い部分に置き、押しつけるようにすると、頰の肉がたこ焼きのように丸くつまめる。つまんだまま、内側に大きく回す。このとき大きな声で、「たこ焼き、たこ焼き、おいしいなぁ」と言う。

次に、同じように「たこ焼き、たこ焼き、おいしいなぁ」と言いながら、頰の肉を今度は外側に回す。

最後に、指でつくった○を勢いよく開いて、「ぱあっ！」と言う。

③いい顔体操

大きな声で「いい顔～」と言いながら、両手のひらで、おでこを左右に引っ張る。

同じように「いい顔〜」と言いながら、目じり、頬、口、顎《あご》の順に左右に引っ張る。最後に大きく「いーいーかーおっ！」と言いながら左右の耳を引っ張り、「おっ」のタイミングで勢いよく手を離す。

人生はクローズアップで見ると悲劇だが、ロングショットで見ると喜劇だ。

——チャップリン

アメリカのある経営者セミナーでは、部下を一人でももつようになったら、朝一番の仕事は笑顔をつくることだと教えている。受講生には小さな鏡を支給し、これをいつでもデスクに置き、日に何回か、笑顔を保っているかどうか、自分の顔をチェックするようにとも教えるという。

だんだん慣れてくると、部下にちょっと注意を与えるその前にチェック、幹部に呼ばれてドキドキしながら出向く前にチェック……と、毎日、何回となく鏡の自分に向かって笑いかけたりすることができるようになるそうだ。

ビジネスマネジメントも、要は笑顔がキーポイントというわけである。

過度に望んで不満を抱くより 適度に望んで満足を得よう

人は、あるいは宇宙を知っているかもしれない。
でも、自分自身は知らない。

――チェスタートン

日本における一〇〇歳以上の長寿者が、一九九八年、一万人を超えた。それからは加速度がつき、二〇〇三年には二万人を突破。あっという間に倍増である。熊本県の夫一〇七歳、妻一〇〇歳という長寿夫婦が、ギネスブックに登録申請中だという話も聞く。

いったい人の寿命はどこまで延びるのか。諸説がある。

「主は言われた。私の霊は人のなかに永久にとどまるべきではない。人は肉にすぎないのだから。こうして人の一生は一二〇年になった」。旧約聖書『創世記』六章にある言葉だ。神が人に与えた寿命は一二〇年ということなのだが、これは、細胞の生成の仕組みがかなり究明されたいま、生物学で割り出されたヒトの寿命とだいたい一致している。

細胞の生成と死滅のサイクルから計算すると、ヒトは平均的に一二〇～一三〇歳ぐらいまで、最長ではさらに一〇年以上生きる可能性がある。これが、現在の、ヒトの寿命に関する科学の結論だ。

旧約聖書が書かれた時代にそこまでわかっていたとはすごいと感激しそうになってしまう。だが、旧約聖書には、洪水に生き残り、現在の人間の始祖となったノアも登場し、実に九〇〇歳まで生きている。もし聖書が人智を超えた書で、科学が将来明らかにする事実まで書いてあるなら、ヒトは九〇〇歳まで生きることだってありえるのかもしれない。

不老長寿は、人の願望である。

とりわけ権力を握った者は、必ずそれを強く望むものだ。秦の始皇帝が不老長寿の秘薬を求めて使者を放ち、その一人が日本にも来たという伝説も、どうやら本当らしい。

私は、これまでほとんどの本に、人生腹八分目説を唱えてきた。

望みをあまり大きくもってしまうと、自分の夢に押しつぶされそうになってしまう。それよりも、少しばかり寡欲《かよく》になることで、安らいだ気持ちで過ごしたほうが、毎日が心地よいからである。

したがって、私は寿命に関しても、八〇パーセントも生きれば十分だと思っている。一二〇歳説ならば九六歳あたりだ。一三〇歳説ならば、一〇〇歳をちょっとだけ超えることになる。

夫婦でギネスブックに挑戦というのも悪くはないが、家内とは八歳あまり離れているので、私は相当にがんばらなければならないことになる。

半分は全部よりましだ。

——ヘシオドス

思えば、私が生まれた一九一六年（大正五）から今日まで、時代は天変地異でも起こったように激動した。

私の好きな乗り物だけをとっても、蒸気機関車、路面電車、地下鉄、そして新幹線が登場し、モノレール、リニアモーターカーとどんどん目新しいものが登場してきた。飛行機はもうだいぶ乗ったから満足しているが、ロケットには一度でいいから乗ってみたい。

食べてみたいものもまだまだある。愛知万博「愛・地球博」ではワニが食べられるレストランがあったそうだが、鶏肉みたいにさっぱりしているというワニを一度は口にしてみたいと思った。旅行作家の仲間が、中国のタクラマカン砂漠でラクダ肉のソテーを食べたと聞けば、ラクダも味わってみたい気になる。

宇野千代さんは、『私、何だか死なないような気がするんですよ』（海竜社）という本を書いておられる。一〇〇歳の誕生日には振り袖を着るのだと、みずから桜吹雪を一面に散らした大振り袖をデザインされていた。

でも、やはり、腹八分目で、九十路《ここのそじ》のなかばごろ、そっとあの世に居を移された。

私にも、やがては最後の転居の時がやって来ることはたしかなようだ。

それまで、さらに旅をし、おいしいものを食べ、上機嫌に、にこにこ顔で過ごすつもりである。

なにかを光らせるには光るまで磨くだけでいい

何事もいたし方なし
しづかなる力をわれに授けしめたまへ
——斎藤茂吉

イギリス人に「リタイア後はどうなさるおつもりか」と聞くと、「アームチェア・ディテクティブ（探偵）になる」とか、「アームチェア・アングラー（釣り人）になる」とか、いささか人を食ったような返事が返ってくる。

アームチェアに座ってミステリー小説を読み、犯人探しを行なう、あるいは釣りの本を手に頭の中で釣りを楽しむというような意味だが、前者はともかく、後者はなかなかに魅力を感じさせる。

アームチェアで手にする釣り本といえば、アイザック・ウォルトンが著した『釣魚大全』(The Complete angler) にとどめをさす。一七世紀に出版された本だというのに、いまだに、世界の釣り人の聖書として、堂々たる地位を保ちつづけているのである。

この本が四〇〇年以上も世界の釣り愛好家を魅了しているのは、随所に「釣り師は、すべての魚を愛するように、人類すべてを愛する」というような哲学的な言葉が散りばめられているからだろう。

釣りは人を哲学者にする。これが、釣り人の間のコンセンサスなのである。

日本人の釣りは、とかくセカセカとせわしない場合がある。「釣り上げたら刺身にしようか、天ぷらにしようか」などと心はやるが、哲学とはほど遠い。

その点、イギリスでは、釣り糸を垂れたら、あとは帽子を目深にかぶって目を閉じる。運よく引きがあれば、しばしのストラグル (魚との闘い)、そしてキャッチ・アンド・リリース。「今日のゲームはこちらの勝ちだな」と魚につぶやくと、元の流れに戻してやる。そんなケースが多いようだ。

つまり、イギリス人にとっての釣りとは、時間の流れに身をまかせるという人生の極意を体得するためでもあるらしいのだ。

当節の日本は、なんでもスピーディーに処理することが一番という風潮がまかり通っている。

むろん、場合によっては、すぐに手を打たなければならないこともある。だが、少し時間をおき、それからもう一度、向かい合ってみると、そうあわてて白黒つけることではなかったということも、案外多いと思う。

自動車メーカーであるクライスラーの創業者ウォルター・クライスラーは、問題が発生すると紙に書き、一週間後に見て、本当に悩むべきかどうか決めていたという。もちろん、緊急事態は別にしての話だが。

週末になるたびに、「ああ、もう一週間たってしまった」と時間の速さに唖然とすることがある。一週間、問題を凍結すると、いかにも解決を先送りした感じをもつこともある。

しかし実際は、手を尽くしても、一週間、事態はなんら進捗《しんちょく》しなかったということが少なくないのではないか。むしろ、一呼吸おいてから眺めたほうが、答えが自然に浮かび上がってくることが珍しくないと私は思う。

どんな酒かて寝かせれば、ええ味に変わるかもわからん。

――サントリー創業者　鳥井信治郎

サントリーが酒の会社であることは知られているが、最近のヒット作が花であることをご存じだろうか。

名をサフィニアという。南米原産のペチュニアを品種改良したものだ。ペチュニアよりずっと華やかで、育てやすく、日本の草花販売実績のトップスリーに食い込む人気ぶりだという。

三世代同居のわが家の子どもたちの家でも、初夏から夏、絶え間なく鮮やかな彩りの花を咲かせている鉢があり、聞けば、それがサフィニアだそうだ。名を知ってから、まわりを見回せば、わが家の周辺でも、サフィニアを見かける率はかなり高い。いかに広く愛されている花であるかがわかろうというものだ。

こういう新種の種苗《しゅびょう》の開発は、とほうもない時間を要する。一回の交配実験の答えが出るには、最低でも二年の時間がかかるのである。最初の一年はイメージどおりの花が咲くかどうかを、次の一年はその種子が同じような花を再び咲かせるかどうかを、見なければならないからだ。どちらが失敗でも御破算。また交配から実験のし直しである。

この辛抱強いビジネスに成功したのは、サントリーには「時間をかける」という企業遺伝子が働いているからだと思えてならない。

サントリーがはじめてウイスキーをつくったとき、最初は「失敗作」だった。売れ行きも悪く、誰もが貯蔵中の酒も廃棄するほかはないと考えた。だが、創業者の鳥井信治郎さんは、「捨てるのはいつでもできる」と結論を急がなかった。こうして原酒を一二年、辛抱強く寝かせておいた結果、国産ウイスキー初の大ヒットとなった「角瓶」が誕生したのである。

たとえば人材についても同じことがいえるのではないか。最近は、育成よりもスカウトで即戦力を集めようとする傾向がある。それも一つのやり方だが、本当の人材は育ちにくいのではないだろうか。

「すぐ役立つ人間は、すぐに役立たなくなる」。私財を投じて、のちの慶應大学工学部となる藤原工大をつくった実業家・藤原銀次郎は、そう述べている。時間とともにじっくりと深みを増すのは、ウイスキーやワインだけではないということだ。

じっくり考える時間は、
時間の節約になる。

——プブリリウス・シルス

話を『釣魚大全』に戻そう。

ロンドンから西へ車を二〇分も走らせると、マーローに行き着く。ここはウォルトンが『釣魚大全』を書いた地といわれ、マーロー橋のたもとには清流を望んで「The Complete angler」ホテルが建っている。隠れ家のような小規模ホテルだが、名のとおりComplete（完全）さで知られ、とくに料理は絶品と定評がある。

川ではいまも四〇〇年前と変わらぬ気分の釣りが楽しめる。イギリスには、リバーキーパーなる職業があり、魚にとって住みやすく、釣り人にとって最上の時間を過ごせるように川を保つプロがいるのだ。釣り人は多少の金を払って、彼を支える。

こんな仕組みをいまもつづけているイギリスという国は、何度行ってもまた行きたくなる。

肩書きを増やすより「好き」を増やすんだ

演じる喜びとは、必ずしも
主役を演じることを意味はしない。
——福田恆存

孫たちが小さいころ、われわれ夫婦は新宿・大京町に住んでいた。そこに入れ代わり立ち代わり、孫たちがやって来たものだった。そのたびに、孫旋風にひっかき回される。

それがうれしくてたまらないのだから人間など実にたあいない生き物だと、われながら、口元がゆるんでしまう。

孫といっても、最年長から最年少までだいぶ年齢差があるが、不思議なことに、年代が変わっても、子どもらの心をとらえる遊びは同じだった。

どの子も、私の書斎に飛び込んでくると奇妙なポーズをとり、「変身！」と一声。仮面ライダーだったり、ウルトラマンだったり、世代によって人気キャラクターが異なり、それによって変身ポーズも戦い方も違うらしいのだが、変身という点では同じである。違いにうとい私は、「変身！」とやられただけで、「まいった、まいった。もう降参だ」と身を縮める。孫たちはそれで大満足……。

変身ブームは戦前にもあった。

江戸川乱歩が世に送り出した「怪人二十面相」である。その名のとおり、二〇の顔をもつといわれる変装の大名人だ。大泥棒なのだが、現金には興味を示さず、高価な美術品や宝石だけを狙う。人を傷つけることもなく、犯行現場に血は流れない。

この怪人二十面相を追って活躍するのが少年探偵団である。だが、少年ゆえか、少年探偵団はしばしば窮地に陥る。それを救い出すのが名探偵・明智小五郎である。しかし怪人二十面相はまたも異なる変装で……。

このように、変身は、時代を超えて子どもらを熱中させる。自分が自分でないものに変われることは、それほど人の心を揺さぶるのである。

偉い人間にはなれなくても、善《よ》い人間にはなれる。

――中野重治

実は、私も変身願望はかなり強い。パーティーの席などではときどき変身して、周囲の方々に喜ばれたものだ。

誰よりも自分が喜んでいた。

ある縁からパイロットの制服を手に入れたことがある。パイロットふうの服なら入手可能だろうが、私のは正真正銘、当時JAL（日本航空）のパイロットが着用していた制服だった。いまなら考えられないことだが、当時は大らかなものだったのだ。私の得意ぶりをご想像いただきたい。かくして私はときどきパーティーなどで「パイロットになりすまし」、悦に入っていたのである。

イタリアのベネツィアでは、毎年、春のカーニバルをフェスタ・マスカラーノ（仮面祭）と呼んでいる。

この祭りの間、人々は仮面をつけ、あるいは大いに凝った変装をして、夜な夜な舞踏会に繰り出す。日頃の自分から自分を解き放ち、自分でない自分をエンジョイしようというわけだ。うたかたの恋がいくつも生まれ、夜明けとともに泡のように海に消えていく。

ここには変身する楽しさと奔放な恋の喜びが混在している。いかにも、生きかた上手のイタリア人らしいフェスタではないか。

マスクでも、怪人二十面相でもいい。私は、少なくとも「三つの顔」をもつことをおすすめしている。

誰でも最初に思いつくのは「仕事の顔」だろう。

そして、「家庭人としての顔」。

このほかにもう一つ、社会的役割から離れたもう一つの「自分の顔」を加えるのだ。

さらにいえば、「自分の顔」にはいくつバリエーションがあってもよい。楽器の演奏でも、ガーデニングに凝るのでも、地域の少年スポーツを指導するのでもなんでもよい。ただし、あくまでも自分の好きなことをやる顔に限定する。

よく、裏面に、こぼれそうに盛りだくさんの肩書を書き込んだ名刺をいただくことがあるが、たくさんの顔をもつとは、こういうことを意味しているわけではない。好きなこと、没頭できるものをどれだけたくさんもっているか、ということだ。

それが多ければ多いほど、人生は好きなことに満ち、たくさん楽しめる。たくさん楽しんだ人ほど、豊かな人生を送ったといえるだろうと思う。

3章　＊　心がプラスになる言葉

「もう一度！」の力を養おう

アウトプットの年齢だから
インプットが面白くなるんだ

始まりと思うのも自分。
もう終わりだと思うのも自分。

――フェデリコ・フェリーニ

わが家にしばしば足を運んでくださっていた女性編集者が、定年を迎えたと思ったら、三年後に大学生となった。

若いころ経済的事情で大学進学をあきらめたという彼女は、だいぶ前から熟年大学生になると決めていたようだ。編集の第一線にいたころは、引っ越しするにも「東京タワーの見えるところでなければ……」と都心ばかりを選んでいたのに、選んだ大学は、長野県安曇野《あずみの》にある。美術科だ。

家族であるイヌとネコを引き連れ、彼女は北アルプスを仰ぐ小さな家に引っ越していった。以来、ときどき絵はがきをくださる。美術科の大学生だけあって、絵はもちろん自作。みごとな筆さばきだ。

定年から三年というところから、彼女の年齢はおよそ推測していただけると思う。入学前、「当然、私が最高年齢だと思います」と彼女は言っていたが、とんでもない。最高年齢は八〇歳すぎの男性で、九州の出身。一人で信州に移り住み、大学には真っ赤なスポーツカーでさっそうと姿を現わすそうだ。

なんとも頼もしいシニアが増えてきたものだ。

私は、だいたいが鈍いせいか、この年になってもシニアという自覚がきわめてとぼしい。七〇歳になったとき、文芸家協会の名簿の長寿会員に自分の名前があるのを見て、「こんな年になったのか」と人ごとのように思ったものだ。

七〇歳を区切りに、日本精神科病院協会会長の座からもおり、早稲田大学文学部の教壇からもおりた。というより、自然に「おろされた」のかもしれぬ。

人によって心身の若さはかなり違うのに、一定の年齢になると問答無用で職を奪ったり、事務的に老人扱いしたりという固定観念から、私たちはそろそろ卒業していいのではないかと思う。

現に私も、七〇歳以降も変わりなく多忙であり、講演のお声がかかったりすると、「いい年」であることをケロリと忘れて、出かけていく。

いつも頭においておけば成就する。
ゆっくり進んでいれば、到達する。

——モンゴルのことわざ

とはいえ、公職を退くなど、世間から老いを突きつけられたのは事実である。その事実に、私のなかから猛然と反発が突き上げてきた。世間相場に甘んじないためには、もっと積極的になにかにチャレンジを始めなければならない、と。

聞けば、ソニー会長だった盛田昭夫さんは、六〇歳をはるかに超えてからスキーを始められたという。また、東京都知事の石原慎太郎さんは、六〇歳、七〇歳と年代の階段を一段上がるごとに新しいスポーツにチャレンジすると決めておられると聞いた。七〇代に足を踏み入れたときは、「スカイダイビングに挑戦したい」とスピーチされたという。

私もなにか……と思い立ったが、生来ののろまである。スポーツ系は苦手意識が先に立つ。そこで始めたのが『鉄道唱歌』の暗唱である。

♪汽笛一声新橋を　はやわが汽車は離れたり
　愛宕《あたご》の山に入り残る　月を旅路の友として

という一番から東海道線をえんえん六六番まである。

人の脳は、全体で約一〇〇〇億個、大脳だけで約一四〇億個という大変な数の細胞で構成されている。よく「頭が最もよく働くのは一〇代後半から二〇代前半。それ以降は衰えるばかり」というような疑わしい説を唱える人があるが、いかがなものだろうか。

もともと、人は生涯に脳の細胞の五パーセント程度しか使わないといわれる。つまり、人の脳には、使われていない細胞が九五パーセント以上もあることになる。

そのうえ脳の細胞は、かなりの年齢になっても鍛えることができる。スウェーデンの脳医学者ピーター・エリクソンは、七二歳の人の脳の神経細胞が増殖しているのを発見している。

私の脳だって同じだ。「もうトシだ」などと甘やかしてはならない。新しいことを楽しく覚えたい。新しいものを知ると、それがさらに新しい興味を開いてくれるという興味のスパイラル現象が起こる。

私の場合も、思ってもいなかったスパイラル現象が生まれた。『鉄道唱歌』の歌詞から、当時の日本の様子が浮き彫りのように見えてきたのだ。

わずかずつ加えることを繰り返していれば、
やがて大きなものになる。

——ヘシオドス

『鉄道唱歌』がつくられたのは一九〇〇年（明治三三）だ。三木書店という出版社が、「地理教育鉄道唱歌」として出版した。作詞は大和田建樹氏。作曲は上眞行、多梅稚の二氏。現在よく耳にするのは、多氏のほうの曲である。

もともと地理教育のための歌だから、暗唱すれば地理が頭に入るのは当然だが、はからずも、当時の日本の事情もありありとイメージできる。

たとえば五番の「♪横浜ステーション　湊《みなと》を見れば百舟の煙は空をこがすまで」では、横浜港の隆盛ぶりが目に浮かぶ。また、一〇番の横須賀では、「♪見よやドッ

ク に集まりし　わが軍艦の壮大を」と、日本が軍事大国の道を走りつつあったことがうかがわれる。三三番の「♪熱田《あつた》の御やしろ」では「あふげ（仰げ）や同胞四千万」とあり、当時の日本の人口は四〇〇〇万人であったとわかる。

六二番でようよう神戸に着くと、六六番で「♪明けなば更《さら》に乗りかへて　山陽道を進ましし」とあり、当時の東海道線の終点は神戸であり、山陽道へは乗り換えが必要だったとわかる。好奇心旺盛な私は、不思議に思って、鉄道の本を何冊も書かれている桜井寛さんにお尋ねすると、当時の国鉄は神戸までで、山陽線は私鉄だったというではないか。新発見だった。

『鉄道唱歌』は、六六番覚えれば終わりではないという発見もあった。『鉄道唱歌』には第五集まであったのだ。第二集は「山陽・九州」、第三集は「奥州・磐城」、第四集は「北陸」、第五集は「関西・参宮・南海」である。

思いのほかの広がりに、わが「斎藤号」はいまだ全国制覇に至らず、挑戦の日々はつづいている。

かくして、私の脳は日々鍛えられ、いまのところ、まだ認知症の気配はなさそうだ、と少なくとも本人はそう確信している。

好きなことを続けられる例は少ない続けられることを好きになろう

小さな妥協は小さな人物でもできるが、
大きな妥協は大きな人物にならなければできない。
――松永安左衛門

見かけによらず（?）、私はけっこう偏食である。

前にも書いたとおり、母のぬくもりをあまり知らない子どもだった。母は、夫の茂吉が亡くなると世界中を旅しまくったことからもわかるように、本質的に外出が好きな人間だ。私を生んだあとも、家で育児に専念しなくてはという考えは毛頭なく、毎日のように外出していた。

母代わりに私を育てた松田のばあやは、愛情はたっぷり注いでくれたが、心をオニにしてしつけをするタイプではなかった。私が一言「キライだ」と叫べば、それは二度と食卓にのぼらない。こうして私は、トマトが食べられず、牛乳も飲めない大変な偏食児童に育ってしまった。

最近、往時の私を彷彿《ほうふつ》とさせる、甘やかされ放題の子どもが大量に出現している。私の病院にも、すぐに風邪をひく、お腹をこわす、熱を出すような子どもの患者さんが来ることがある。確たる原因が見つかることもあるが、大半は、母親や周囲の甘やかしすぎが原因である。

幸い私はその後、甘えることなど許されない環境に身を置くようになり、やがて、偏食は「大変な」から「けっこう」へと減少していった。

苦手の克服には、かなりの大胆さと無神経さが必要だ。

たとえば、私は牛乳が大の苦手だった。飲むとお腹をこわしてしまうのだ。だが、何年か前から積極的に牛乳を飲むようになった。年をとると骨折が一番怖い。骨を強くするには牛乳である。飲もうと決意を固めた。だが、最初はやはり、腹をこわした。無視して飲みつづける。しばらくすると、下痢はまったくしなくなった。さらに飲みつづけると、牛乳をうまいと感じるようになった。

いまでは、お茶がわりに牛乳、寝る前にも牛乳という具合で、一日にコップ何杯も飲んでいる。

一時の反動を乗り越えれば、たいていの苦手は克服できるのである。

人は極端になにかをやれば、必ず好きになるという性質をもっています。好きにならぬのがむしろ不思議です。

——岡潔

こんな話を聞いた。中堅マンション会社に勤務するNさんは、大手デベロッパーA社をリストラ（人員整理）された一人だった。バブル経済の崩壊でA社が不振に陥り、数名で退職金代わりに小さな営業所をもらい受けて退職することになったのだ。その営業所が現在の勤務先である。

最初はA社の売れ残り物件を一件でも多く売り、手数料を稼ぐことからスタートした。当時はマンション不況であり、かつNさんは不動産のセールスには自信がなかった。一家の主が帰宅している時間帯、つまり、ふつうのサラリーマンが家でビールの一杯も飲んでいる時間に、見知らぬ人の家のチャイムを鳴らす。そんな日々に、神経がぶち切れそうになったこともある。

だが、それをする以外に生活費を稼ぎ出す道がなかった。神経をすり減らし、胃が悲鳴をあげることもまれではなかった。苦痛を抑えて営業をつづけた。営業トークもまるっきり下手で、お客さんを上手に乗せるようなヨイショができない。

ところが、よくしたものだ。そんな愚直ともいえるトークが、「朴訥《ぼくとつ》で飾らない」と、かえってお客さんの心をつかみ、Nさんの営業成績は徐々に上りカーブを描き出したのだ。

気がついたら、セールスは苦手だという意識はすっかり消えていた。自分には自分流の営業法があると考えるようになっていた。

こうして実績を伸ばしていったNさんは、やがて、自社開発物件を手がけるようになった。小さな営業所だった勤務先は、西新宿に本社ビルのある中堅マンション会社へと発展した。最近では、マンション開発からホテル経営へと、さらに社業を広げているという。

苦手に直面したら、逃げたり放り出したりせずに、どこまでも食らいついていく。そうしていると、いつしか苦手が得意に変わる瞬間があるものなのだ。

よくない状況がよい転機になる

幸せが訪れても、悲しみに出会っても、心を開いてそれらを味わいなさい。

——ジョン&リン　セントクレアトーマス

バブル崩壊後は本当に長い間、リストラの嵐がすさまじかった。いまでもクビになる人は少なくないのだろうが、一時は、毎日のように「○社、○○人の希望退職を募集」といった記事が新聞に載ったものだ。

ヒラ社員から幹部まで、すべての会社員がリストラを恐怖した。うつの患者さんのなかにも、「リストラにあうかもしれない」という不安のあまり、精神的に追い込まれた方をかなりの割合で見かけたものだ。

リストラとは、それまで安定していた暮らしの底がいきなり割れて、冷たい海に放り出されるようなものだ。みじめな日々↓一家離散↓ホームレス……と悪い方向にばかり思いが向かってしまうのも、無理はないと思う。

だが、リストラを逆手にとって人生をパワーアップした人の話も、よく耳にする。四〇代の若さで、パソコンメーカー・デルの日本法人社長を務める浜田宏さんも、その一人であろう。

大学卒業後は、大手海運会社に就職した。動機はスキューバダイビングが趣味だったからだ。「船会社なら、どこに転勤しても、大好きな海の近くだろうと思った」というのである。

ところが入社後数年で、あっけなくリストラにあってしまう。円高不況が押し寄せ、海運会社は大きなダメージを受け、大々的な人員整理をしなければ生き残れなかったのである。

ここで大いにしょげてしまい、その後の人生さえ投げてしまう人もいるだろう。だが、浜田さんは、「これからは会社都合で人生を翻弄《ほんろう》されるのではなく、自分自身で自分の運命をコントロールできるプロのビジネスマンになろう」と逆に腹をすえた。

そのためには、自分の力で生きていけるようにならなければ、と決意したのである。がむしゃらに働いて資金を蓄えると、アメリカのビジネススクールで経営を学び、デルに入社し、その日本社長という今日に至る道を開いたのである。

逆境にある人は常に「もう少しだ」と言って進むといい。やがて必ず前途に光がさしてくる。

——新渡戸稲造

浜田さんがいうプロのビジネスマンとは、言いわけがきかない生き方をいう。それはプロのスポーツ選手に似る。サッカーにしろ野球にしろ、プロのスポーツ選手は結果がすべてである。「体調がいまイチで」「家庭の事情があってさ」「相手との相性が最悪だもん」……などと言ったところで、誰も結果を割り引いてはくれない。所属チームで実力を発揮できなくなれば容赦なく契約解除になり、有無を言わせず、次の人生に放り出される。

ビジネスマンのリストラも、それと同じではないか。

リストラされたからといって、人生を全否定されたわけではない。そこを起点に、新たな人生を切り開いていく可能性はちゃんと残されている。

浜田さんにとって、結果的に、リストラは人生最大のチャンスになった。ジャンプをする前には、人は一度身をかがめ、反動をつける。リストラなどの逆境は、生かしようによっては、次の飛躍のために力をためる絶好のチャンスにすることもできるということだ。

三菱財閥を起こした岩崎弥太郎は、土佐藩の浪人の子として生まれ、若いとき、罪もないのに投獄されるという体験をしている。

だが、このとき牢のなかで、腕一本で生きている職人や、知恵一つで世を渡る商人の話を聞き、「いつかは仕官したい」という武士へのこだわりを捨てた。商人になる決意を固めたことが、のちの大出世の元となるのである。

逆境に身を置くと、順調な日々では見えないことが見えてくる。明るい場所からは暗い場所が見えないが、暗い場所からは明るい場所が見えるのだ。

そんな考えから、私は、リストラにあってうなだれている人には、心のなかでそっと、「おめでとう。これをきっかけに、きっと、もっといい日がきますよ」とささやきかけることにしている。

「今はできない」を「絶対できない」と間違えないように

人の苦労なんて、いくら聞かされたって成長しない。自分で苦労しろ。

——元アサヒビール会長　瀬戸雄三

広島東洋カープの野村謙二郎選手が、二〇〇〇本安打記録を達成した。プロに入ってから二〇〇五年のこの日まで、一七年の月日が過ぎていたという。

白状しておくが、実は、私は野球選手にはきわめてうとい。そもそも、野村ナニガシなのか知らなかった。ちゃんと名前をいえる現役野球選手は、松井秀喜選手とイチロー選手ぐらいかもしれない。

だから、二〇〇〇本安打記録を聞いたときも、最初は関心がなかった。だが、偶然、目にしたスポーツニュースで、野村選手は、順風満帆の選手生活を送ってきたわけではなかったことを知ってから、すっかりファンになってしまった。

ご存じの方も多いのだろうが、野村選手は相当に優秀な選手であるようだ。大学時代の一九八八年にはソウル五輪に出場し、日本チームの銀メダル獲得に大きく貢献している。

一歳年上の古田敦也選手（現東京ヤクルトスワローズ）が、「こんなにうまいヤツがいたのか」とうなったほどの打撃センスを見せたという。

八九年にドラフト一位で広島カープに入団後も、その打撃センスは発揮され、九五年に、なんとプロ入り七年で一〇〇〇本安打を達成している。

九七年には、米国大リーグのデビルレイズからオファーがくる。イチロー選手より四年も早く、野手として大リーグからお声がかかったのだ。

だが、オファーに応じられるFA（フリーエージェント）権を取得していながら、カープを愛する気持ちを捨てきれず、残留。

ここから苦難の日がつづく。

九九年には股関節を痛めた。さらにヘルニアになり、大切なももの肉離れも起こす。

相次ぐ故障に襲われたのだ。

あきらめるな。
勝負の采配は自分の心が決める。

——ヨギ・ベラ

一〇〇〇本安打を達成したときは、誰もが四、五年先には二〇〇〇本安打達成だと確信していた。けがに悩まされるようになると、今度は、誰もが、二〇〇〇本安打の夢は消えたと考えた。

そのどちらをもくつがえして、一七年間を要して二〇〇〇本安打を達成した。「体が十分に動かせないもどかしさもあった」日々のなかで、あきらめることはけっしてしなかった。

プロ野球史上三三人しか達成していない大記録だというのに、野村選手は達成の喜びを、こう控えめに表現している。「野球やっていていいことはむしろ少ない。少しのいい思い出のために、みんな野球やっているんだよ」と。

この言葉に共感する人も多いのではないだろうか。

斧《おの》の刃が取れても、柄《え》まで捨ててはいけない。

——バイフ

入社まもないころは、周囲のなにもかもが光って見えた。自分の力を確信し、仕事はおもしろいように成果につながった。だが、このところ、なんとなく低迷気味だ……そんな人もあるだろう。体調をくずし、第一線から外れている人もあるかもしれない。

人生、いいことばかりがつづくわけじゃない。九〇年を生き、精神科医としても、いろんな人の人生を見聞してきた私がいうのだから、間違いはない。

でも、どんな日々も、自分の人生の確かな一部なのだ。

光り輝く日、重い雲におおわれた日、体の芯までしみる冷雨の降る日……。そうした日々が折り重なっているからこそ、ときどきヒットを放てる日が光ってくる。

そんなヒットが一本、また一本と積み重なり、野村選手は記録をつくったのだ。

いま低迷中の人は、きっと少なくない。その人たちに野村謙二郎選手はエールを送ったのだ。この名前は、私が覚えた数少ないプロ野球現役選手の名前になった。

楽観的になりたいなら客観的になることだ

沈黙という木には、平和という実がなる。

——アラビアのことわざ

私には奇妙な趣味がある。墓場を散歩することだ。むろん夜中に出没するわけではない。空も気分もすがすがしい早朝に歩く。

私は青山で育った。近くの青山墓地は、私にとって庭の延長だった。青山墓地は徳川家康の寵臣《ちょうしん》・青山忠成の屋敷跡である。とにかく広く、自然が豊かで、散歩にはもってこいのところだった。

府中に引っ越してからは、もよりの墓地は多磨霊園となったのだが、両親の墓がある関係で、青山墓地にしばしば足を運ぶ。そうした機会に墓をつぶさに見て歩いているうちに、いろいろとおもしろい発見があった。

両親の墓のすぐそばには、忠犬ハチ公の墓がある。かと思えば、歌舞伎役者・中村吉右衛門の墓もある。屋号・播磨屋の墓は思いのほか小さいが、手入れが行き届き、さすがの風情が感じられる。

明治の元勲《げんくん》の墓も多い。大久保利通の墓は龍の頭をし、体は亀のような不思議な石像の上に墓石が乗っている。犬養毅、吉田茂といった政治家の墓もあり、わが国の近代史を見る思いさえする。

青山墓地よりはるかに広大な多磨霊園はどうか。ここには家内の両親の墓がある。並びには菊池寛の墓。北原白秋、三島由紀夫、吉川英治、向田邦子、岡本太郎。青山墓地より歴史が新しい分、こちらは昭和以降の日本の歴史を語りかけてくる。

こうした発見がうれしくて、散歩には必ずメモを携えて、目についたこと、感じたことをメモするようになり、ついには青山墓地をテーマに、長い随筆まで書いてしまった。なんでもおもしろいと感じると、その世界にはまっていくこの傾向は、祖父から母へと受け継がれた好奇心旺盛な性格と、細部にこだわる父の性格がミックスされたものだと思う。

ところがもって、私はそう優秀な頭脳に生まれついていない。幼時から鄙《ひな》にはまれな秀才ぶりをうたわれ、それゆえに斎藤家に婿入りすることになった父・茂吉の子としては、まことに不肖のかぎりである。

でも、頭など少々悪くても気にすることはない。忘れないようにメモをとればいいだけの話ではないか。

私たちはしばしば、できないものを見つけることによって、できることを発見する。

――サミュエル・スマイルズ

情報整理術など縁遠い世界だと思っていたが、ノンフィクション作家の山根一眞さんの書かれたものを読み、思いがけず共感を覚えた。上手なノートのとり方について述べておられたのだが、メモとノートは二点で共通するようだ。頭を大いに刺激する点、たまったメモやノートは発想のヒントの宝庫になるという点だ。

私はただメモをとるだけだが、かなり細部にわたるという特徴がある。旅先のホテルに冷蔵庫があれば、冷蔵庫のブランド名、なかに入っているビールの銘柄、値段などを、逐一メモする。この些細だけれど詳細な記録が、あとで有用な情報のもとになったことはしばしばあった。

山根さんは、ノートのとり方の工夫をすすめておられる。たとえば、

・内容ごとに番号を振って個条書きにする
・テーマが変わったら横線を引いて、話が変わったことを一目瞭然にしておく
・大事なもの、もっと調べるべきことなどに印をつける

などのことだ。こうしたノートのとり方は、問題点を鮮明に浮かび上がらせるという思わぬ効果につながっていく。

実は、精神科でも、誤った認識にがんじがらめになって、身動きできなくなってしまった患者さんには、その認識を個条書きや表組みなどで書き出してもらい、整理することで解決の道を探る治療法（認知療法）がある。

仕事がうまくいかない。人間関係がややこしい。なんだか知らないが気がふさぐ。そんなときは、片端からメモやノートをとり、それを眺めたり、整理してみよう。そこから意外な出口が見えてくることがあるはずだ。

やってもダメなら ダメなやり方を改める

もしそれがうまくいかなくても、
きっとほかのなにかがうまくいきますわ。
——ジェームズ・ワットの妻

二五歳で、世界七大陸最高峰登頂の世界最年少記録（いまは更新されたが）を樹立した登山家・野口健さんは、「元落ちこぼれだ」と堂々と告白していると聞く。

日本人の父とエジプト人の母の間に、アメリカ・ボストンで生まれた。父上が外交官であったところから、幼少時から世界各地を転々と移り住み、日本の地をはじめて踏んだのは四歳になってからだったという。

その後もアフリカ、中東、欧州と転々とする。中学と高校はロンドンにある私立の日本人学校だった。ところが、このころから勉強に興味を失なってしまう。ありあまるエネルギーをもてあまし、すさんだ日々を過ごすようになる。ついには先輩と大ゲンカ。停学を申し渡される。ご本人自身、「絵に描いたような落ちこぼれです」というほどだった。

そんなとき、父上のすすめで一人旅に出かける。

旅の途中、偶然手にした植村直己さんの著書『青春を山に賭けて』に感動。一念発起すると、なんと一六歳で旧ヨーロッパの最高峰モンブランに初登頂している。

その後も最高峰登頂はつづく。一七歳でアフリカのキリマンジャロ。一九歳でオーストラリアのコジウスコ、南アメリカのアコンカグア、北アメリカのマッキンリー。二一歳で南極大陸のビンソン・マシフ。二二歳で新ヨーロッパのエルブルース。二五歳でアジアのエベレストを制覇したのである。

このクラスの登山になると、一人でコツコツ歩を進めていけばいいわけではない。膨大な準備、資金、そしてサポート部隊が必要だ。野口さんはそうしたことを独力で手がけるうちに、落ちこぼれから脱していった。それどころか、世界のトップ登山家として、日本の環境行政について強い発言力をもつ実力者としても成長していった。

君の花は、いま君がいるそこに咲くのだよ。

——草柳大蔵

現在、ニートと呼ばれる、学校にも行かない、仕事もしない、職業訓練を受けているわけでもない、要はなにもしようとしない青年が約八五万人もいるという。ニートたちがこぞって口にするのが、「したいことが見つからない」というセリフである。

私はそうではないと思う。ニートたちは目を閉ざしているだけだ。すぐ目の前にある「したいこと」を見ようとしないだけなのだ。

だから、とにかく、少しでも心が動くものに全身でぶつかってみることをすすめたい。そこから、一六歳のときの野口少年のように新しい人生が開ける可能性はけっして小さくない。

人生に行きづまり、自分を見失ないかけたときほど、なにか行動を起こしたほうがいい。立ち止まってしまえば、ますます立ち遅れ、そのためにさらに自信喪失という悪循環に陥るからだ。

腕を上げるにはネをあげないことだ

行きづまりは展開の一歩である。

——吉川英治

「朝は四つ足、昼は二本足、夕暮れからは足が三本になるものなぁに」という有名ななぞなぞがある。

孫の一人が幼時になぞなぞに凝り、顔を合わせればたちまち「なぞなぞ攻撃」にあう時期があった。わが家は、かなり前から子どもたち四人と同じ敷地内に住んでいる。玄関を出たところで孫にばったり遭遇は、しばしば起こることだったのだ。なぞなぞ攻撃の時期、私は答えに窮することが多く、「なにとぞ孫と鉢合わせしませんように」と念仏のように唱えながら玄関をあける始末であった。

ところで、冒頭のなぞなぞの答えは「人間」である。

朝とは生まれてまもないころ。ハイハイの四つ足だ。昼とは人生たけなわのころ。二足歩行である。夕暮れとは老いが迫るころ。杖をついた三本足というわけだ。

私も三本足年齢に近づいてはいるものの、極力、二本足で暮らすようにがんばっている。

実は一時期、ちょっと姿勢を変えようとするだけで、ミシリと足が痛むようになってしまった。立ち上がってしまえばなんとかなるのだが、座った姿勢から立ち上がるときに「膝《ひざ》が笑う」状態になってしまうのだ。

こうしたとき、たいていの人は大いに悩み、「年には勝てない」とあきらめてしまう人が出る。車椅子にさっさと移行してしまう人も少なくない。

だが、私は、できるだけ痛みの少ない姿勢を工夫して、自分で立ち上がるようにした。なに、立ち上がる前に四つんばいのハイハイ姿勢になってつかまれるものに近づき、その力を借りれば、なんとか立てるものなのだ。

自称「ヒコウ（飛行）老人」である私は、この方法をさっそく飛行機の離陸になぞらえた。ハイハイは「滑走」、立ち上がることは「テイクオフ」（離陸）である。こうして、けっこうな楽しみに変えてしまった。テーブルに手をつきながらでも、しゃっきり立ち上がれたときには、心中ひそかに「ナイス　テイクオフ」と喝采する。

大したとりえのない私であるが、どうやら、どんなものでも楽しんでしまう才能には恵まれているようだ。

行動しなさい。そうすれば力が湧いてきます。

——エマーソン

「テイクオフ」したら、やはり移動したくなる。飛行機ならフライトだ。私の場合は、二本足での歩行である。

五〇〇万年前、ヒトがサルと分かれて独自の進化の道を歩み始めたきっかけは、二足歩行を身につけたことだといわれている。二足歩行はヒトの基本的条件だといってよいだろう。

ところが、ヒトはしだいに歩かなくなっている。たとえば私が子どものころは、ちょっと郊外なら、学校まで片道一時間歩くなどはざらだった。ところがいまどきの子は、一五分も歩くと音《ね》をあげるという。

いつぞや京都の平安神宮に桜見物に行ったところ、花の名所である神苑近くの入り口に何台ものタクシーが来る。降り立ったのは、四、五人の中学生である。聞けば、最近の修学旅行は数人のグループに分かれ、タクシー移動がふつうなのだという。

驚くと同時に、少しばかり心配になった。「廃用性萎縮」といって、人の心身は使わなければ、しだいに衰えてしまう。一四、五歳と最も元気いっぱいの年ごろからタクシーを乗り回しているなんて、いまに二足歩行もおぼつかなくなってしまわないだろうか。

私は、できればずっと「ヒト」でいたい。

したがって、毎日できるだけ小一時間は歩く。時間がないときや、疲れぎみのときは一〇分でも一五分でも歩く。

といっても義務ではない。気ままに歩くように心がけている。パーティー会場に行く場合など、ホテルの前まで車で乗りつけず、少し手前で降りて歩くのだ。だから、「歩かなければならない」と重荷に思ったことはない。万歩計などもつけない。足の調子がいまひとつならステッキも使う。三本足にもなるのである。

機能の衰えは道具を使って補う。これもヒトの知恵だからだ。

富は向こうからやって来ることがあるが、
知恵はこちらから近づかねばならぬ。

――エドワード・ヤング

朝の散歩ならば、自然が色濃く残る自宅周辺がいい。季節の訪れを先取りする草や木の変化をいち早く見つけて目を細めたり、ご近所の庭先のきれいに手入れされた鉢植えをたっぷり鑑賞させていただいたりする。

街中も悪くない。ショーウインドーの飾りつけに視線を走らせたり、いつの間にか開店したレストランのメニューにすばやく目をやり味を想像したりする。

こんなふうにあらゆることにわくわくしながら歩けば、ワンパターンにならず、歩くことに飽きない。足とともに脳にも刺激が与えられ、心身ともに元気でいられるはずだ。

自分にできないことを数えるのではなく、得意なこと、まだ十分できることを数え、どんどん拡大していく。そんなノーテンキのほうが、生きていくにはトクなようだ。

今日も家のまわりをひと歩き。季節の風に吹かれ、極楽気分を味わってきた。

「べき」はあとでいい「好き」は今がいい

あなたがいま夢中になっているものを大切にしなさい。
それは、あなたが真に求めているものだから。

――エマーソン

私は、めったに人をうらやましいと思わない。それくらい恵まれた人生だったからではない。人には受け入れなければならない運命があると、ある程度、達観しているからだ。たとえば自分の生まれは、自分では選べないではないか。

だが、その私にして、この方の邸宅をテレビで見た一瞬は、羨望《せんぼう》を覚えてしまった。海を一望する白亜の家で、夜には庭に突き出したデッキが、海に浮かんだ空間のようになる。まるでプライベートな豪華客船だ。明治天皇の孫にあたる竹田宮が贅を尽くして建てた別荘だったという。

この家の現在の主は、テレビ番組『なんでも鑑定団』などでお見かけする玩具《がんぐ》コレクター・北原照久さんだ。

好きなものを集めて、元皇族の別荘に住むなんて、生まれながらのボンボンだと思うかもしれないが、そうではないようだ。北原さんがおもちゃのコレクションを始めたころは、ただの勤め人だったと聞く。かぎられた予算で足を使って探しまくり、ついにブリキのおもちゃでは世界一といわれるコレクションをつくりあげたのである。

おもちゃの博物館をつくるという夢を人に語ると、ほとんどの人が「ゴミやガラクタを集めた博物館に誰が来るんだ」と笑ったという。そのとおり博物館の経営は、はじめは綱渡りの連続で、家賃が払えず家主に追い出される夢を何度も見たという。

踏み出せば、その一歩が道となる。迷わず行けよ。

――アントニオ猪木

だが北原さんは、どんなときでも、好きな玩具コレクションを見ているとわくわくしたという。この気持ちは、同じく変わったものを集めるヘキ（癖）がある私にはよくわかる。「VAN（ファッションブランド）の創設者・石津謙介さんが『悠貧』といっています。私の理想とする生きかたですね」という言葉にも実に共感できるのだ。

現在の家を雑誌ではじめて目にしたときは、まだ博物館を開く夢を漠然と見ていたころだった。八億円という値段に、ふつうならページを閉じてしまうだろう。それを「売りに出るということは買えるということなんだ」と発想したという。その日から雑誌の切り抜きをもち歩き、親しい人に「いつかこの家に住む」と語りつづけた。

みんなはホラ吹きよばわりした。だが、ものは言いようなのだ。水泳の北島康介選手が、「世界新記録を出して金メダルをとる」と宣言し、実現すると、人は「有言実行の人」と讃える。北原さんも、有言実行の人だったということだ。「どんなに大それた夢でも、公言し、絶対にあきらめることなく追いかけていけば、いつかは実現できる」が口癖だ。

その後、テレビ出演などをきっかけにビジネスが大きく花開き、バブル崩壊が重なり、あこがれの家を手にしたのである。この話をもれ聞いてから、私は、この別荘は、やはり北原さんが住むべきものだと得心した。夢の別荘は、夢をあきらめることなくもちつづけた人にこそふさわしいと思うからだ。

人生から返ってくる球は いつかあなたが投げた球

あなたが信じ込んでいる限界以外に、
あなたにとっていかなる限界もありません。

――エマーソン

ウナギと私にはいわくいいがたい因縁がある。

親子とは不思議なものだ。私と父は性格などはほとんど正反対であるのだが、そろって、ウナギに目がない。一卵性親子のように似通っている。

私の結婚にあたり、両家の顔合わせの席で美智子がウナギを食べ残すと、父が「私にちょうだい」と言って食べてしまった話はすでに広く知れ渡っている。

さらに父は、短歌雑誌『アララギ』の歌会でも、出されたウナギをめぐってエピソードを残している。歌会の席で世話役をつとめた大内豊子さんは、父・茂吉の高弟の一人の山口茂吉さんの夫人でもあるのだが、その大内さんが言っている。

「まず、どこから眺めても一番大きいウナギを先生（茂吉）の前に、あとは順番に四人の（高弟の）前に並べるのだが、先生の目はするどく皆の前の蒲焼の大、小を鑑定されている。そして、五人前の蒲焼を、『きみ、そっちのほうが大きいから取り替えてくれ』とあちらこちらに移動させたあげく、『やっぱりこのほうが大きいから』と、私がはじめに並べた蒲焼が先生の前に戻るのであった……」というのである。

まったくおとなげないが、同じくウナギに目のない私には、父の気持ちは手に取るようにわかる。

私も心のうちでは、似たようなことをしているのだ。だが、父ほどの天真爛漫さをもち合わせないために、「隣のほうが大きそうだ」と思いながらも素直に口には出せず、さりとて自分のウナギに満足する達観もできず、複雑な思いでウナギを口に運ぶこと、しばしばである。

本来であれば、私はウナギなど絶対に食べられない。細く長いものが苦手だからだ。ヘビなど想像しただけで鳥肌が立つ。箱根にある祖父の時代からの別荘にときどき遊びに行くが、庭にミミズが出ただけで、寒けともしびれともつかぬ異様な感覚が、つま先から上がってくる。

それなのにウナギが大好物なのは、ウナギ好きの父がしばしば青山のウナギ屋から出前を頼んでいたからだろう。父が息子の私の口に、「天下の美味だ」とかなんとか言って、ウナギをほおばらせたのかもしれない。

もしウナギとの出会いをつくってくれたのが父ならば、私はあの世に行ったとき、まず一番にその礼を言おうと思っているくらいである。

その父もまた、ひょんな出会いから、思いもよらぬ新しい世界を開かれている。不肖の息子の私はウナギであるが、父にとっての新世界は、短歌であった。

世界でただ一つの喜びは、始めることだ。

——セザール・パブス

山形の農家に生まれた父は、同じく山形出身の医師・斎藤紀一に資質を認められて、医家になるべく上京し、第一高等学校から東京大学医学部へと進む。その一方で作歌に非常な興味を覚え、さかんに歌をつくるようになる。茂吉三二歳のときの第一歌集

『赤光《しゃっこう》』は、一九一三年（大正二）の刊行で、芥川龍之介は、その強烈なまでに人間感情を表白した作品に「衝撃を受けた」と言ったという話が伝えられている。

やがて、伊藤左千夫が中心になって発行されていた『アララギ』の代表的な一人として、作歌とともに歌論なども多く著し、一七冊の歌集を残している。名実ともに、近代日本を代表する歌人だといってよいと思う。

父の作歌生活を開くきっかけは、高等学校三年のときに、神田の貸本屋で目に止まった一冊の本、『子規遺稿第一篇「竹の里歌」』を借りたことだった。そんなふとした出会いが、生涯をかけて惜しまぬ歌の世界の扉を開いたのである。

「自分には特別な才能もなければ、これといった出会いもない。毎日、とくにおもしろいことがあるわけでもない。だが、ふつうの人間の人生なんてこんなものだろう」と、自分の人生をなかば投げ出している人が少なくない。だが、誰の人生にも、新しい出会いをもたらす扉がいくつも用意されているのではないだろうか。

私がどういうふうに研究しているかって？　手探りだよ。

――アインシュタイン

私の病院でもそうだが、仕事には、どうしても忙しいときとヒマなときがある。忙しいときに合わせて人を雇えば、ヒマなときは人があまってしまい、人件費がかさむ。だが、ヒマなときに合わせて人を雇えば、忙しいときに手が足りなくなり、仕事が十分に回らない……。

どんな会社でもかかえているこんな問題を、「人手が必要なときだけ人を派遣する」という人材派遣業で解決したパソナの南部靖之さんの起業のきっかけも、一つの出会いからだった。

一九七六年、大学生活を終えて就職活動を始めると、いくつかの会社から、「いまは忙しいから人手がほしいが、君を雇うと、一生、面倒を見なければならない。だから雇えない」と断わられた。そこで、ある会社の人事担当に、「忙しいときだけでいい、と言ったら雇いますか？」と聞くと、「雇う」と即答が返ってきた。

この一言から、人材をプールしておき、企業が忙しい期間だけ派遣する人材のアウトソーシングビジネスを思いついたというのだ。そして、思いつくやいなや、卒業をまたずに、人材派遣業を立ち上げた。

これ以後、企業にとっても、働く側にとっても、必要なときだけ働くという、合理的で新しいビジネスモデルが生まれた。パソナも売上一七九二億円という堂々たる企業に成長し、南部さんは、現在、最も発言力ある若手経営者の一人になっている。

4章 ＊ 心を熱くする言葉

やっぱりあの人と生きていく

現状を変えるのは愛情だ

どんな結果でもいいじゃないか。
どんなときでも、お前を心底、愛しているよ。
——タイガー・ウッズの父　アール・ウッズ

精神科の待合室には、さまざまな心の悩みをかかえた患者さんがやって来る。最近目立つのは「ちゃんと育っていない人」だ。正確にいうと、ちゃんと育っていない親に育てられた結果、ちゃんと育つことができない若い患者さんである。

高学歴の親が増えたというのに、なんとも不思議な現象だ。ひょっとしたら、高度の知識を身につけることと、ちゃんとした親になることとは、反比例するのだろうか。これはあながち冗談ではなく、ありえることなのだ。親になることは、頭の問題ではなく、心の問題だからである。

親が子にまず伝えるべきことは、知識よりも、世界中の誰よりわが子を愛していることだと思う。

愛していることを伝えたら、次は少し距離をおく。でないと、いつまでも親から離れられず、いい年をして、下着の洗濯から経済的援助まで親にしてもらうようなパラサイト（寄生）な子に育ってしまう。

「ちゃんと育っていない人」の親は、子どもに過剰な期待をかける傾向があるようだ。それも最近は、いい高校↓いい大学↓いい会社コースにかわって「好きなことをやらせる」と称するケースが増えてきた。サッカーやゴルフなどのスポーツ系、ピアノやバレエなどの芸術系、果てはマジックなど、大人顔負けの猛レッスンに明け暮れる子どもがけっこう目立つ。

親も子も夢中になって夢を追いかけるのはいいと思うが、気になるのは、しばしば、「好きなこと」の主語が親自身であることだ。しかも、それに気がついていない。受験勉強イノチだった時代と同じく、ひたすら、うまくなること、勝つことを子どもに強いる。

「どんな結果でもいいじゃないか。どんなときでも、おまえを心底、愛しているよ。楽しんできなさい」。天才ゴルファー、タイガー・ウッズが小学校二年生のとき世界ジュニア大会でプレイする直前、父親はタイガーの耳元でこうささやいたという。

三歳にして九ホールをスコア四八で回る息子の才能を知った両親は、ゆとりがあるとはいえない家計から、コーチ費用を惜しまずに捻出し、タイガーの才能の育成に力を注いだ。

父親は黒人系の元米国陸軍大佐で、母はタイ人である。黒人系とアジア系の混血は人種差別の壁に直面しがちであり、だから両親は、少年タイガーの試合の前、いつもしっかりと抱きしめ、暗黙のうちに注がれる差別の視線に耐える力を彼に与えたのだった。

タイガーは、プロゴルファーになった翌年の一九九七年、世界四大メジャートーナメントの一つマスターズで優勝した。二一歳の優勝は最年少記録であった。同時に、有色人種としての初優勝でもあった。このときも、タイガーの父親はタイガーをきつく抱きしめると、「よく、ここまでがんばった。さすが私の子だ」と語りかけたという。タイガーにとって、これ以上の祝福の言葉はなかっただろう。

女が母親になることはなんでもないことです。

でも母親たることは、なかなかできることではありません。

——山本有三

ある日、わが家を訪れた編集者が「電車でこんな親子を見ましてね」と、道中で目にした二、三歳の女の子と母親の二人連れの話をしてくれた。

母親は席に座り、子どもはベビーカーに乗っていた。はじめはニコニコしていた子どもが、やがてむずかり始め、ついに大きな声を出し始めた。すると母親はベビーカーから子どもを抱き上げ、ただ、じっと抱きしめたというのだ。

子どもはすぐに泣きやみ、母親の胸に頬を押しつけながら満足そうになにかしゃべりだした。すると母親は唇に指を当て、小さくなにかをささやきかける。そして何度も背中をさすり始めた……。

いうならば、それだけの話である。だが、この編集者は深く印象づけられたという。

私も同感だ。多くの母親は、子どもを叱るか、お菓子などでなだめるかである。それに対し、この母親は、抱きしめる、子どもの背中をさするという行為だけで子どもをコントロールしている。子どもがしゃべり始めようとすると「電車のなかだから、おしゃべりはあとでね」という動作をして、公の場でのふるまい方も教えている。

私は子ども好きであるうえ、わが子の一族に囲まれた日々を送っている。幼い子どもを見れば、ついつい相好がくずれてしまう。

とはいえ、デパートやホテルのロビーなどで大声をあげる子どもに出会うと、やはり、心中おだやかではない。とくに、そっくり返って泣く子がいたりすると、「子どもをこんなところで泣かせるのは、親の責任だ」と言いたくなってしまう。

子どもがそっくり返るのは、なにがなんでも自分の要求を認めさせたいときか、親の関心が自分を離れていることへの抗議のいずれかだ。そう断言できるからである。

なぜ、断言できるか。

私自身が、子どものころ、しょっちゅうそっくり返っていたのである。

世界を変えるために、あなたができる最大のことは、
あなた自身の見方をもっと肯定的に変えることです。

——S・ガーウィン

松田のばあやに甘やかされ放題だった私は、しばしばそっくり返った。とくに、大嫌いな幼稚園の前まで行くと、道路に大の字になってひっくり返り、足をバタバタさせたものだ。

幼稚園の隣には交番があった。やがて巡査がやって来て私をタイホすると、園長室に連れて行く。園長先生は砂糖水をつくって飲ませてくれる。この砂糖水一杯で私は簡単に陥落し、幼稚園にとどまるのである。

現代の母親が泣く子にお菓子を与えてなだめるのは、かつての私の砂糖水とおんなじだ。いつまでたっても同じことの繰り返しで、進歩も改善もない。

それよりも、電車のなかの母親のように、わが子をしっかと抱きしめ、道理をやさしくさし示すほうが、千倍も一万倍も、いい効果がある。

私はそれもよく知っているのだ。

祖父の紀一は、私を見れば、すぐに抱き上げ、頭をなでて「いい子だ。茂太はいい子だ」と温かな愛情を注いでくれた。思い出をたどると、父や母より、祖父を懐かしく感じることが多いのは、祖父の抱擁が私の心の支えになっていたからかもしれない。祖父の抱擁がなかったら、私は問題児になっていたかもしれないと思うのである。

短いほめ言葉が長い人間関係をリードする

ほめて、ほめて、ほめて……、
天にも昇るような気持ちにさせて人を元気にする。
——ダイエーCEO　林文子

「シゲタは甘やかされて育ってしまい、ダメだ」と父。

「あなたはピーピー泣いてばかりいて、情けないったらありゃしない」と母。

両親からこんなふうに言われながら、私がひきこもりにもならず成長できたのは、人を見たらとにかくまずほめることが信条であったようなホメ魔・祖父のおかげだと思う。

ただ、祖父は私を見ると温かい愛情の抱擁をして「いい子だ」と言ってくれるのだが、その後につづく言葉は、はっきりいってその場しのぎだった。絵を描いているところに通りかかれば、「絵の才能がある」とほめちぎり、ピアノをいたずら弾きしていれば、「音楽の天才かも」という具合だった。

いくら子どもでも、こんなムチャクチャなほめられ方をされれば、大して根拠はないのだとわかる。

だが、それでも、ほめ言葉は私を大いに励ましてくれたものだ。

ＢＭＷ東京の社長からダイエーのＣＥＯに就任した林文子さんは、ほめ方について、こう言っている。「どんな部下にも、必ず、光るところがある。そこをほめて大きく育てる。そうこうしているうちに、やがて全体が光る存在になっていく」と。

林さんは、一人一人に向けた特別なほめ言葉を用意するのがほめ方の秘訣だと言う。たとえばお酒の好きな部下なら、すれ違いざま「このところ調子がいいね。お酒もおいしいでしょ」。子どもが生まれたばかりの部下ならば、「やっぱり、パパになるとがんばりが違うね。成績、上がりっぱなしだものね」という具合である。私の祖父とは大きな違いだ。

個人情報の保護ということがやかましく言われるこのごろだが、人は誰でも自分自身に関心をもってもらいたがっているのである。

「上司になると、つい部下を営業成績などの数字で見てしまいがちです。もちろん数字にはこだわりますが、数字だけをものさしに人を判断することがないように気をつけていました」という信念から、林さんは、スタッフの一人一人を、それぞれの生活背景をもった一人の人間として見るように心がけてきたそうだ。

「プライバシーに立ち入るというのではなく、部下に個人としての愛情をもっているかどうか、ではないでしょうか」という言葉には、私も大いにうなずきたい。

お前の値打ち以上に持ち上げる者を恐れよ。
お前を不当に下げる者だからだ。

——アラビアのことわざ

ほめ上手の祖父と、ほめ下手の父の両方の血を引いているせいか、私は、内心、人をほめたいと思っても、その人に面と向かってほめるのは、どうも照れくさい。はっきりいって苦手である。

そこで、Aさんをほめたいなら、Aさんと親しいBさんなどに、「Aさん、最近、すごくがんばってるね。感心しているんですよ」などとほめている。ほめ言葉は、やがてBさんを介してAさんに伝わるという仕組みだ。

ところが、照れ性ゆえのこのほめ方が、意外なことに、ときには面と向かってほめる以上の効果をもたらしてくれるようなのだ。

面と向かってほめられるのもうれしい。でも、どこかに「お世辞じゃないかしら」とか、「調子のいいことばっかり言って」という思いも浮かぶ。だが、人づてに聞いた自分への賛辞は、間違いなく本物だと実感するのだろう。

「先生、この間、私のことをほめてくださったそうで、本当にありがとうございました。うれしかったですぅ」などと、看護師などから、突然お礼を言われることがあるが、その顔には、本当にうれしそうなほほえみがいっぱいだ。

反対に、私は、忠告は、絶対に人づてには言わないように心している。

どんなに好意的な忠告でも、人の前でしたり、人づてに伝えたりすれば、それは非情のムチになってしまうからだ。

人の心に本当のメッセージを届けたいなら、ほめるときは少々大仰《おおぎょう》に。反対に、忠告はできるだけ抑えめに。これも、大事なさじかげんである。

相手の口が重いときは相手の気を軽くしてあげよう

夢見るのが恋人たち。
目覚めているのが夫婦だ。

――ポープ

先年、うちの病院が創立一〇〇年を迎えた。

祖父の斎藤紀一は最初、浅草三筋町で「浅草医院」という開業医をしていた。このころは一つの専門に限定せず、内科も外科も、婦人科もやれば、小児科も耳鼻科もやるという具合だった。紀一は、近隣でも評判の流行医だったという。

この時代、一八九五年（明治二八）に、母の輝子が誕生している。

やがて紀一は神田和泉町にも東都病院を開設した。こちらも大いに繁盛していたが、次第に精神医学に関心をもつようになり、一九〇〇年（明治三三）、留学のためにドイツに旅立った。

この旅立ちの日、一一月一七日をわが家の「精神科」の始まりの日と考え、病院の開院記念日にしているわけだ。

祖父はドイツでつつがなく勉学を修め、ドクトル・メジチーネの称号を得ると、一九〇三年（明治三六）年に帰国。さっそくローマ式建築の青山脳病院を開設している。よって、青山脳病院の流れをくむ斎藤病院の創立は一九〇三年と定めてある。

祖父は神田の東都病院を改築して「帝国脳病院」という看板を掲げてもいる。また、青山脳病院は第一次から第五次まで増築を重ね、一九二三年（大正一二）の関東大震災にも耐えたが、その翌年、出火で燃え落ちた。再建されたものの、終戦の年の五月、東京大空襲で跡形もなく焼失してしまった。

病院は、その後、新宿大京町、さらに東京郊外の府中市へと移転を重ね、現在に至っている。つけ加えれば、この府中の地は、一九三九年（昭和一四）に開設された宇田病院が前身となっている。家内の実家にあたる宇田家に関わる病院である。個人的にも、病院も、こうして斎藤家と宇田家は合従連衡《がっしょうれんこう》し、脈々と流れを引き継いでいる。

燃え上がっていると言えるのは、
ごく小さな火なのだ。

――ペトラルカ

私は斎藤病院の三代目ということになる。大いに発展繁栄させたとはいいがたいが、今日までのところは自分なりに、とりあえず上出来だと思っている。

いまは息子が病院を継いでいるので、四代はつづいたわけだが、その後のことは誰にもわからない。

精神を病む人はますます増える傾向にあるので、社会的な必要性からも斎藤病院は存続してほしい。そう思うものの、別段、未来永劫、わが家が関わらなければならないと思っているわけではない。

だが、なんとなく、かぎりなく個性的だった祖父や母のDNA、昭和の歌人として偉大な足跡を残した父・茂吉のDNAは絶やしたくないものだと思ったりもする。子らや孫のなかに、ふっと両親や、祖父母の面影を見たりすると、私は単純にうれしくてたまらなくなってしまうのだ。

そのための中継点として、私もいささかの存在性はあるのだとも思う。

がらにもなく神妙なことを書いたが、どうも最近は結婚すること、子どもをもつことを、「どっちがトクか」と計算づくで考える風潮があるらしいことが気になってならない。はっきりいっておくが、結婚は、とくに男にとって、電卓をはじけば、明らかに損、という答えが出るのではないか。

だが、人生はけっして計算どおりの答えにはならないから、おもしろいのだ。

どんなに損だとわかっていても、やっぱり、結婚はいいものだと、私は思う。

われわれ夫婦は、二〇〇三年にダイヤモンド婚式を迎えた。連れも連れ添ったり、なんと六〇年である。

一八歳の初々しい花嫁はいまや……と悪口のひとつも書きたいところだが、六〇年も連れ添うと、ベターかどうかはともかくとして、家内はまぎれもなく、私の半身になっている。わが身に向かって悪口は言えぬ。

よって、最近は、ふと気づくと、家内に向かって、ねぎらいの言葉などかけることが増えている。

相手の長所と向き合えることを自分の長所にしてごらん

愛してくれる人が、私の王様なのよ。

——映画『マイ・フェアレディ』

祖父は本名を「喜一郎」という。だが、いつのころからか「紀一」と勝手に名を変えて、とうとうそれで生涯を通してしまった。どうやら紀一のほうが都会的だと思ったらしい。

このヘキは周囲にも及ぶ。体が弱かった祖母は、「病気に勝つ」ようにと、勝子と名を変えられた。父は、茂吉の読み方を「モキチ」から「シゲヨシ」にされている。論より証拠、留学に持参したトランクにはシゲヨシ・サイトウと書いてあり、留学先で書いた論文もすべてシゲヨシ・サイトウである。改名を命じた紀一は、シゲヨシのほうが都会的だと思ったのだろう。

父は、実父のつけた名に愛着があったに違いなく、シゲヨシは受け入れがたかったろうが、養子の身の悲しさ、紀一の命に従った。そして紀一が院長の座からおりると、すぐさまモキチに戻している。

人の名前さえ、ときにはこうくるくると変わる。

離婚経験をいまではバツイチ、バツニなどというようになったことなど、そう驚くには当たらないだろう。だが、呼び方が変わると同時に、離婚のイメージまで大いに変わったのには驚いている。

たとえば離婚に悲劇のイメージがほとんどなくなったこと。これはよい傾向だと思っている。

生涯、愛は変わらないと信じて結婚に踏み切る。だが、人生はそう生《なま》やさしくはない。風雪を経るうちに、二人の間に隙間風が吹くようになることもある。その隙間が修復不能だと思うようになってしまったら、別れることが最上の選択肢になる場合もあるだろう。

近年、離婚率はぐんぐん高まり、最近の統計では、婚姻数一〇〇組に対して、離婚は一四組という計算になるそうだ。実感的には、離婚はこの統計よりもう少し多いように感じられるほどだ。

愛情のひもは解けやすくしておき、会うも別れるも自由なのがよいのです。

――エウリピデス

軽やかに離婚するからだろうか。再婚もまた多い。ある女性編集者など、私の担当になって七年ほどの間に、結婚、出産、離婚、再婚と、実にめまぐるしい。

私のような年代だと、「子どもが不憫《ふびん》だ」などとつい思ってしまうのだが、この方の場合、再婚相手にプロポーズしたのは、なんとお子さんのほうだったそうだ。「ママのこと、好きなんでしょ。結婚すれば」と言ったという。

実の父親とも気軽に行き来しており、「パパ」と呼ぶのはこちらのほう。母親の再婚相手は、友だちのように名前で呼んでいるという。

複雑になりがちな人間関係を重々しく受け止めすぎないのも、生き方上手の秘訣の一つだ。こんなふうに人間関係を軽くいなせるようなら、将来は、友人やビジネスの人間関係もなんなくこなせる人間に育つだろう。

最近の離婚でとくに目につくのは、熟年離婚だそうだ。

定年を迎え、「さて、これからは、これまで仕事のためとはいえ放っておいた妻を誘い、旅行でもしようか」とウキウキ帰宅した夫を待っていたのは、妻からの離婚の申し出だった、というような話をよく耳にする。

もちろん、よくよく考えた末のことなのだろうが、ここまで長く夫婦をやってきた末の離婚は、私に言わせると、もったいない。

かくいう私は、見合い結婚した家内と、大した波風も立てず、金婚式を超えてなお一緒に暮らしている。ここまで長く連れ添うと、もはや、家内のいない生活は考えられなくなってしまうものなのである。

それに、女は長い間には何回か変化《へんげ》する。一八歳で嫁いできた家内は、最初のうちはなんともういういしく、かわいらしく、私以上に父を有頂天にさせたほどだった。

だが、最近は、なんともしぶとくなってきた。

長年、一人の女性と連れ添うと、そんな変化を目のあたりにできる。これはこれで、けっこう見応えがあり、興味深い。

持っていないもののことを気にしていると、持っているものを無駄にしてしまいます。

――ケン・ケイエス・ジュニア

家内がいかなる変化を遂げたか。実際にお話しよう。

職業がら、私がおつきあいする方のなかには、心を病んだ方が含まれる。これまでも、私を「恋愛の対象」だと思い込み、なれなれしくしてくる患者さんなど、いろんな体験をしてきている。

そうしたなかに、こんなことがあった。ある日、電話が鳴った。相手はうちの病院に入院していた患者さんで、「病院に収容されたうえ、精神分裂病（いまの統合失調症）という病名をつけられたので、一生が台なしになった。どうしてくれる」と言う。

調べてみると、この方は措置入院の患者さんだった。措置入院とは、都道府県の指定病院が当番制で入院を引き受ける制度だ。患者さんも病院側も断わることはできない。つまり、私がむりやり入院させたわけではなかった。

だが、相手はそんな仕組みをちゃんと受け止められる状態ではない。その後も何回も同じ内容の電話がかかってくる。

　このとき電話を撃退したのは、家内の一言だった。家内はこの方に「精神分裂病という病名のおかげで、あなたは刑務所に行かなくてすんだのではないですか」と言ってのけたのである。犯罪者でも、精神が正常でないと診断されると、刑務所ではなく病院に措置入院することになっていることをさしている。

　この一言に相手は納得し、以来、電話はプッツリとやんだ。顛末《てんまつ》を見ていた私は、家内の変化に改めて舌を巻いたしだいである。

　電話をここまでしっかり仕切れるようであれば、少なくとも、振り込め詐欺に引っかかる心配だけはしなくてよさそうだ。

　さきほど、私は「大した波風もなく」と書いたが、家内は結婚生活を「狂瀾怒濤の末に」と形容している。耐えがたきを耐え……という日々もあったのだろう。その末にしたたかさを身につけた最近の家内は、とうてい私の歯が立つ相手ではない。だが、そんなふうに「全面降伏」できる間がらというのも、居心地はよいものなのだ。

　ワインではないが、こうした味になるには、夫婦にも長い時間が必要なのだ。熟年離婚は、ビンテージワインになる寸前でボトルを割るようなものだと思えてならない。

妥協を重ねる関係は心境が重なりにくい関係

悲観主義は弱さを招き、
楽観主義はパワーをもたらす。

――ウイリアム・ジェイムズ

いまも現役で診療をつづけている理由の一つに、看護師と親しく話をする機会に恵まれるから、ということがある。彼女たちとの談笑はまことに楽しい。

看護師のなかに、まことに立派な体格の持ち主Sさんがいた。

あるとき私は健康上の理由から少し体重を減らしたほうがいいと助言され、心ならずもダイエットに励んでいた。

そんなおり彼女を見かけ、つい、こう聞いてしまった。

「Sさんは、ダイエットする気はないの?」「あるんですけど、なかなか……」「そうか、好きな彼でもできて、やせてほしいと言われたら、きっとやせるよね」、つい私が軽口をたたくと、彼女はきっぱりとこう答えた。

「そんな彼なら別れます。いまの自分をそのままでいいと言ってくれるような人でなければ、好きになりません」

一本、取られた! 私はそんな気持ちになり、心の底から納得した。

彼女は、病院でもピカ一の看護師さんである。なかでも笑顔はつくりものではない心の底からの笑みであり、天下一品だと定評がある。

その笑顔の理由がちょっとわかったような気もした。

人の視線を気にして生きている人が多いなかで、彼女は、自分の価値は自分が決めているのだ。本当に自分を愛してくれる人であれば、少々、太めでも、そんなことには関係なく愛してくれるはずだと信じきれる強さをもっていたのである。

その姿勢は、痛快なほど、心地よかった。

いまでも病院にいくと、つい、この看護師さんを目で探してしまう。しっかり自分をもっている女性との会話はとりわけ楽しく、心弾むからである。

他人の意見で自分を変えることは、しない。

——イチロー

体重の話とビジネスには接点などないように思えるが、その後、あるパーティーでお目にかかった方のお話をうかがっているうちに、看護師Sさんと同じような姿勢の持ち主だなと思った人がある。

その日、パーティーのゲストスピーカーを務められたのは、セブン‐イレブン・ジャパン総帥の鈴木敏文さんだった。いまでこそセブン&アイ・ホールディングスとして小売業最大手の座を堅持しているが、はじめて米国からコンビニエンスストアという概念をもち込もうとしたとき、吹いたのは四面楚歌の嵐だったという。

だが、鈴木さんは自分を信じて、米国セブン‐イレブンの親会社サウスランド社と提携を結び、コンビニエンスストアの展開に踏み切る。

もちろん、システムのかなりの部分を日本流に改めた。それでも当時の流通慣行とは相いれないところが多く、仕入れ先、出店先など、ビジネスパートナーの獲得にはかなりの苦労を強いられた。

だが、安易に妥協することなく、「われわれを認めてくれる相手でなければ、こちらから断わろう」という信念を変えず、一店一店、丹念に出店先を探し、店舗網を広げていったという。

自分が信じる価値を認めてくれる人こそ、真のパートナー。この考え方、看護師Sさんと一脈通じるところがある。

それから二、三年たったころだろうか。看護師Sさんは、びっくりするほどすっきりした体型に変身した。聞けば、結婚を機会にダイエットを始め、いまではそれが生活習慣になっているそうだ。

好きだといってくれた彼は、ありのままの彼女を愛してくれる人だった。そんな彼と結婚したら、自然にもっと健康的な生活を大切にしたくなり、二人で生活習慣を見つめ直していった。その結果が現在の体型なのだという。

あいかわらずのダイエットブームである。あげくに、十分スリムなのに、もっと細くなりたいという一念から精神を病み、過食症や拒食症に陥る人も少なくない。

ダイエットよりももっと大切なのは、自分で自分のあり方をしっかり選べる健康な考え方なのである。

いつも好かれようとすると いつか疲れてくる

愛せよ。人生においてよいものはそれだけである。
――ジョルジュ・サンド

精神科のカルテに新たな病名が加わったのは、ここ数年のことだ。それは「ペットロス」。かわいがっていたペットが死ぬと、すっかり気力を失なってしまい、茫然自《ぼうぜん》失のような日々を送る。そんな病気だ。

家族の一員のような存在が消えてしまうのだ。喪失感は大きいだろう。泣きたいほど寂しく、むなしい気持ちは理解できる。だが、そのために精神まで病んでしまうとなると、やはり首をかしげたくなる。

「しょせんペットはペットではないか」などと言うと、ペットロスの患者さんに総スカンを食うだろう。だが、「ペットはペット」という線引きがしっかりとできることは、精神の健全性を示すものさしの一つである。

競争馬の調教に携わる方から聞いたのだが、面倒を見ることになった馬には精いっぱいの愛情を注ぐ。だが、同時に、調教師の言うことを聞かせるという絶対的な服従関係も築く。そうでなければ、調教は不可能なのだそうだ。

イギリス人はよく、犬を「人生最良の友だ」と言う。実際、どこの家をお邪魔しても、玄関先には主人と並んで犬が出迎えてくれる。

だが、この犬は、主人の言葉には絶対服従だ。Quiet!（静かに）と命令されれば、ワンどころか、クンともいわない。

これに対して日本のペットたちは、ひたすらかわいがられるだけなケースが目立つ。いつしか「自分は主人よりエライのだ」と錯覚してしまい、傍若無人にふるまい始める。誰がなんと言っても、自分の要求を通すまで鳴きわめく。ひどい場合には、自分の思いを通そうと、飼い主にかみつくイヌやネコもあるという。これを帝王病とか王子さま病というそうだ。

だが、イヌやネコならまだしもだ。

どうやら最近は、帝王病、王子さま病が、人間の子どもの世界に蔓延《まんえん》し始めており、始末におえない。

家中が自分を甘やかし放題だと察知すれば、子どもは増長するに決まっている。子どもは文句なくかわいいけれど、あれでなかなかしたたかなものなのだ。

心を鬼にできない親は、子どもたちを育てられない。

——アラブの格言

「一軒の家には一人、怖い人が必要である」。これは、文化人類学者の中根千枝さんのおばあさまの口癖だったそうだ。

私が育った時代には、父親はとにかく怖い存在だった。私の父がとりわけ短気で、癇癪《かんしゃく》持ちだったこともあるが、友人に聞いても、みんな、父親に対して絶対的な畏敬のような思いを感じていた。

その畏敬は、けっして感じの悪いものではなかった。

また、祖父母は孫に愛情を注ぐ温かい存在でありながら、ときに、「だてに長生きしているわけではないなあ」と感服させる知恵を披露してみせてくれた。

数年前、モンゴルの大草原を旅してきた方の話を聞いたことがある。

一行は首都ウランバートルから車でしばし走り、遊牧をしている人の住居・パオを訪れたそうだ。パオのなかはカラフルに飾られており、中央の炉を囲んで、三世代ぐらいの家族が間仕切りらしい間仕切りもなく、暮らしている。

観光客を招き入れた一家は、お嫁さんらしい若い女性がやたらに甘いバター茶などを出してくれる。一家の主らしいじいさんはどっかと座ったままで、その茶を客と一緒にすする。そんな光景を、パオの入り口から、子どもがきらきらした目で、もの珍しそうに見つめている。

次の牧草地を求めてパオをたたみ、移動しようとしている一家もあった。こんな場合も、じいさんはちょっと離れたところに立ち、あれこれさしずする。若い父とその子らしい少年がきびきびと動いてパオを解体していく。移動先での組み立ても、おそらく同じように行なわれるのだろう。

そんな光景が印象的だったと話してくださった。

自分が年寄りになったから言うわけではない。年配者がいわば邪魔者扱いされ、それに気づいた年配者が、若者や子どもにおもねるような状態は、けっしていい結果を招かないと思う。

父が怖く、年寄りがなんだかえらく見えた日が懐かしく思えてならない。

偉大になればなるほど、非難の矢に当たりやすくなる。

――ハイネ

一時期、父親不在が子どもの成長にもたらす影響が大きな問題になっていた。最近はその反動といおうか、ものわかりのいい父親、友だちのような父親が増えてきているようだ。

一緒にゲームの腕を競ったり、趣味の昆虫採集に熱中したりという父親は、一見、理想的に見えるが、それだけの父親からは、子どもは人生の目標を見いだせない。

友だちは友だち。親は親。その役割はおのずと異なるはずである。

よきにつけ悪しきにつけ、親の背中を見て子どもは育っていく。その背中は大きくたくましく、大人の貫禄《かんろく》を感じさせるものであってほしい。

そうした背中を見るからこそ、子どもは大人になることのあこがれと覚悟を固めながら、自分なりの大人のなり方を探り当てていくのだと思うからだ。

私が育ったのは、大きな病院のなかという不可解な環境だったが、意外なほどに、父は常に身近にあった。

昔は、どこの家でも食事はちゃぶ台でとった。わが家も朝食のちゃぶ台には父の姿があり、ここで父は子どもたちに一言、二言、言葉をかけるのだ。

朝食が終わり、お茶を飲み終えても父は立ち上がらない。ここで、郵便に目を通し、片端から返事を書くのである。郵便は、書生があらかじめハサミで封を切っておく。返事の多くはすでに名前と住所の判が押してあるハガキだった。だから、返事を書くのはめっぽう早かった。

それを見て育った私は、いまなお、夜どんなに遅くなっても、その日の手紙類はその日に処理する習慣がついている。親とはこうした無言の教育を施すべき存在なのだ、としみじみと思ったことがある。

ちゃぶ台の父からかけられた言葉で、私が忘れられないのは「威張った字を書け」という教えである。なるほど、ハガキに書かれた字さえ、父の字はどっしりしており、しかもどんなに急いでもくずれておらず、きちんとした楷書《かいしょ》であった。

枠にはめることは丸く収めることとは違う

「この子、怒ることもできないのよ」
「それがこの子の悪いところだわね」

――『ムーミン』

その子のあだ名を「できすぎクン」という。どんな場合も礼儀正しく、言葉づかいもていねいである。親の言うことには、「はい」と大きな声で答え、勉強も親に言われる前にちゃんとする。まだ小学校にあがったばかりなのに、地団駄踏むこともなければ、口答えもしない。

そんなわが子を、親は「自分の子どもにしてはできすぎ」と満足して育てていた。

ところが、これが一種の強迫神経症だったのだ。

強迫神経症とは、なんらかの観念にとらわれてしまい、それからどうしても逃れられなくなる症状をいう。自分でおかしいとわかっていても、ある行動を繰り返すようになってしまうのだ。

たとえば、外出から帰ると、何度も繰り返し手を洗ったり、出かけるとき、鍵をかけたかどうか気になって、戻って確認する。そんなことを毎日繰り返す。あるいは、二度、三度と繰り返し確認しなければ気がすまない。

「できすぎクン」もそんな症状の一つなのだ。

だが、少子化時代だ。シックスポケットといい、一人の子どもに両親、父方、母方それぞれの両親と、六人もの大人が過剰なほどの愛情を注いでくれる。同時に、過剰なほどの期待も注がれる。

もの心がつくかつかないころから、親や祖父母など周囲の人間に、「いい子になってね」「いい子にしているんだよ」と言われて育てば、当然の結果として、「いい子でいなければかわいがってもらえない」と不安を抱くようになる。

かくして、どんな場合も、親や祖父母の期待を満たすような行動をとる強迫神経症になってしまうというわけだ。

まじめで完全主義の人がなりやすい症状なので、治療はまず、この性格の枠を取り外すことから始める。

不完全でもいい。はみ出すことがあってもいいことを、しだいに身をもって体験させていくのである。

いい人間だと思われている間はダメなんだ。

――鈴木亜久里

最近、企業の経営トップの方にお目にかかると、若い社員のお行儀がよすぎることが悩みだ、ということをよくおっしゃる。

身なりはきちんとしているし、マナーもそれなりに身につけている。上司の指示には素直に従う。だが、それだけなのだ。

少し前に読んだ本なので記憶がおぼろだが、ミサワホーム創業者の三澤千代治さんが書かれた『情断大敵』という本に、たしかこんな話が載っていた。

ミサワホームでは、採用のとき、わざと会社のカラーには合わない型破りの人間を数名採用することにしている。それは、三澤さんがある漁師から聞いた、こんな話がヒントになっている。

沖でカツオやブリなど何種類かの魚をとると、漁師たちは生け簀《す》に、それぞれの魚が大の苦手とする魚を数匹、投げ込むのだという。

「そんなことをしたら、せっかく漁獲した魚が食い荒らされてしまうではないか」と、ふつうは考える。

ところが違うのだ。

同じ種類の魚ばかりだと、魚は緊張感を失なってしまい、港に着くまでの間に、生け簀のなかでぐんにゃりとなってしまうのだそうである。ところが、敵意を感じる魚がまじっていると、いつ自分が食われてしまうかと緊張感をもつためか、港まで、海のなかにいるような元気を保つのだという。

人は自分の姿が見えないので、
えてして他人の姿に自分の理想を見てしまう。

——シューマン

企業のなかも、生け簀のなかも同じだ。優等生ばかりをそろえた企業になぜか生気が感じられない理由はわかっていただけるだろう。

もし組織のムードが沈滞していると感じたら、自分が異質の魚になって、ひと暴れする方法だってある。

そうしなければならないとわかっているけれど、つい、優等生社員のようにふるまってしまうというなら、あなたは「できすぎクン」の疑いがあるかもしれない。

5章 ＊ 心を駆り立てる言葉

人生に「成長点」を確保する

お金は金に寄ってくるが夢にはもっと寄ってくる

カネ以外に何も生み出さないビジネスは、貧しいビジネスだ。

——ヘンリー・フォード

ご存じの方も多いと思うが、こうして本などを書くと、売れ行きに応じて印税というものが支払われる。

ちなみに明治から今日まで、最高の印税を手にした人は夏目漱石だ。漱石の印税は三〇パーセント。印税は通常一〇パーセントと相場が決まっている。五〇〇〇部の本も、ミリオンセラーも変わりない。

版を重ねると印税率が変動する場合もあると聞くが、一般には、定価一〇〇〇円の本が一〇〇万部売れると、印税は一億円になる計算だ。ベストセラーは「本というより お金を刷っているのも同然」といわれるのもうなずける。

漱石の印税は、この三倍だったのだ。手にする額も半端ではなかったろう。さすがにお札になるだけのことはある、と妙な感慨が湧いてくる。

もちろん漱石は金の亡者ではない。木曜会という弟子の集まりをつくり、物心ともに援助を惜しむことがなかったという。

たとえば芥川龍之介は木曜会の会員ではなかったが、最初の短編『鼻』を漱石に激賞され、それが活躍のきっかけになったとされる。

突然、印税の話など持ち出したのは、こんな話を耳にしたことがきっかけだ。

ある女性が本を書いた。出版社が印税を支払おうと銀行の口座を問い合わせたところ、彼女は「私、いくら払えばいいんですか？」と聞いたというのだ。

彼女は、どうしても世の中に伝えたいことがあって、本を出したいと思った。出版社はその気持ちに応えて、自分の本を企画してくれた。だから、お金を払うのは自分だと、ごく素朴に考えたのだった。

その女性は、トータルビューティシャン（美容師）の佐伯チズさんだ。私にはなじみがない名だが、病院の看護師などに聞くと、いまどきの女性でこの名前を知らなければ「モグリ」といわれるほどなのだそうだ。彼女の説く美容法が「手軽で、身近で、お金がかからずきれいになれる」からである。

成功は結果であって、目的ではない。

——フローベル

女性が、美にどれほど強い思いを抱いているかは、精神科にいればよくわかる。「醜形コンプレックス」という心の病がある。たとえば友人などに、「あなたの目、細くない？」などと言われると、それがコンプレックスになって心を病ませてしまうのだ。登校拒否やひきこもりを引き起こすこともある。

美醜や収入の多寡など、わかりやすいものだけで人の価値を計ろうとする精神構造が蔓延している。そんななか、女性たちは、高い化粧品やエステティックにお金を投じると聞く。

お金をかけることこそ美しさの近道と思い込んでいた彼女たちに、佐伯さんは「きれいになりたいという意識と手のひらさえあれば、誰でもきれいになれるんです」と答えたのである。

「私、いくら払えばいいんですか?」と尋ねたという本が、それだったのだ。

どうやらお金とは、へそ曲がりなところがあるらしい。

「カネ、カネ、カネ」と騒ぎ回っていても、ちっとも集まらない。ところが、「カネは二の次、三の次。とにかく私はこれをやりたいんだ。社会に伝えたいんだ」と真摯《しんし》になると、それまで姿を見せることがなかったお金が、どこからともなく集まってくるのである。

「金をためるより、教養をためよ」と言った元経団連会長・石坂泰三さんによれば、教養とは、あわてて本を読んで身につける知識ではない。どれだけ人の心に訴える真実をもっているか、どれだけ人に好かれるかが教養だという。

佐伯さんは、組織のなかで仕事をしていたときは、言いたいことの半分も言えなかったという。組織を離れて、本当に信じていることを口にするようになったら、たちまち、美容界のスーパースターに躍り出たという。美容は私には縁遠い世界だが、その心理は、私にもよくわかる。

贅沢は敵だというときほど素敵な贅沢を工夫しよう

パンがなければ、力もない。

――トルコのことわざ

「一〇で神童、一五で才子。二〇すぎればただの人」という言葉がある。これでいえば、さしずめ私は「一〇で富豪、一五で金持ち。二〇すぎればただの人」ということになろうか。

幼少のころ、わが家は東京を代表する大病院だった。私の次の子が生まれる八歳まで、私はそこの一人っ子。すなわち大事な御曹司であった。

であるから、お金などはもたせてもらえない。必要なものは、青南堂という店に行って指さすだけでよかった。青南堂は、わが家と特別契約しており、月末になると「茂太様アンパン〇個」などと書いたツケが病院の会計に回ってきて、両親が黙って支払う仕組みになっていたのである。

なんだかものすごいことのようだが、当時は、そんなことが堂々と通じる時代でもあったのだ。

青南堂は小体な店だった。だが、文房具のほか、駄菓子やアンパンやジャミ（ム）パンなども置いてある。子どもにとっては、この店のものが好きなだけ手に入れば、なに不自由ない気分になったものだ。

わが家はその後、病院の大火にあい、さらに戦争で壊滅状態になり、その後は、食うには困らなかったものの、富豪とか金持ちという形容にはほど遠い経済状態になっていった。現在のわが家は、戦前の隆盛には及ぶべくもない。

だが、不思議なことに、私には、「落ちぶれた感じ」はゼロである。

これは負け惜しみではないのだ。どんなに富豪でも日に一〇度もご飯を食べるわけではない。十二単《じゅうにひとえ》じゃあるまいし、幾重にも重ねて洋服を着るわけにもいかない。

結局、人は、日々生きていくのに必要なお金と、少々の蓄えがあれば、それで十分、と知ったからである。

お金の蓄えよりももっと大切なのが、自分自身を豊かにすることだ。

旅行作家協会には、実にさまざまなメンバーがおられる。そのなかでも旅のプロとして活躍されている方は、必ず、身銭を切って旅をしているものだ。旅先でも、数か月先まで予約がいっぱいだというようなレストランを日本から予約し、予約に合わせて日程を組むとか、著名なヘアサロンに行って髪をカットするとか、かなりの自己投資をしている。

あえて自己投資と書いたのは、人間は、会社やクライアントにお金を出してもらうと、身銭を切った場合の半分も経験が身につかないものだからである。

無駄をはぶいて贅沢を。

——元東洋工業社長　松田恒次

ホテルオータニグループの総帥で、「ホテル王」の名をほしいままにした大谷米太郎さんは、「金は力なり」が信条であった。社員の給料の一割を強制的に貯金させていたという。

社員がこれを三年つづけると、大谷さんは、「この金をタネ銭にして、なんでもいい。

自分の腕を磨くことに使いなさい」と、貯めた金額の半分にあたるお金を自分のポケットマネーから足して、社員に戻すのだ。

そのくらいなら最初から資金を提供すればいいのに、という考え方もあるかもしれない。だが大谷さんは、自分で貯めたお金でなければ、自分を磨くタネ銭にはならないと考えていたのである。

自己投資というと、資格取得とか、語学の勉強などを思い浮かべる人が多いだろう。そうした正統的な投資法ももちろんいい。それと、毎月、収入の一〇パーセントを惜しげもなく使って贅沢を経験することも、おすすめしたい。

贅沢な体験は、心を豊かにする。

それから、本物の強みを教えてくれる。本物を知っていれば、感性や発想は自然に本物を求めるようになり、やがて、人となりまでが本物の輝きを放つようになるものなのだ。

太平洋戦争中には、「贅沢は敵だ」といわれた。戦後、雑誌『暮しの手帳』を主宰した花森安治さんは、これを「贅沢はステキだ」と言い換えた。私もまったく同感だ。本物の贅沢を知った人はステキであるばかりでなく、強みも発揮するようになる。

お金を出しすぎると知恵が出にくくなる

贅沢は貧しさの反対語と考えている人もいるけれど、それは間違い。下品さの逆です。

——ココ・シャネル

「京都を訪れたとき、『もったいない』という言葉を知って、感銘を受けました。地球環境を守っていかなければならない二一世紀。『もったいない』という言葉を世界に響かせていきたい」。これは、ケニア出身の環境保護活動家ワンガリ・マータイさんの言葉だ。彼女は、国連女性地位委員会で、出席者全員と「もったいない」と唱和したこともあるという。

二〇〇四年秋にノーベル平和賞受賞者として彼女の名前が大きく報じられたとき、

私は、ふっと母・輝子が目の前にいるような錯覚に陥った。

母は大病院の跡取り娘として（次女だったのだが、長女が夭逝《ようせい》したため事実上の跡取り娘となった）、なに一つ不自由なく育てられた。娘時代は、婦人雑誌に「王者の矜《ほこ》りをもった緋牡丹《ひぼたん》」などと書かれたほど華麗で優雅な日々を送っていたのだ。

だが、なぜか非常な「もったいながり」であった。母の口から「ケンヤク」という言葉の出ない日はなかったといって過言ではない。

もっとも、母は天上天下唯我独尊を地でいく人であり、そのケンヤクは、実は少しも倹約になっていなかった。

少し年配の人ならご記憶があるかもしれないが、戦前の日本では、よほどのご大家でなければ、トイレ専用の紙など使わなかった。新聞紙や習字の練習紙などを適当に切って積んでおき、それでコトをすませた。

だが、この方式は、水洗トイレの出現とともに、倹約ではなくなった。そうした紙を使うと詰まってしまい、修理にかなりのお金がかかるのだ。

というのに、唯我独尊の母は、水洗だろうとなんだろうとおかまいなしに新聞紙などを使いつづけるのだ。「水洗トイレでは、水を吸収して溶けるようにつくられているトイレットペーパーを使うほうが、結局は経済的なのだ」と何度言っても馬の耳に念仏だった。ちなみにティッシュペーパーは水分を吸収しにくいつくりになっているため、水洗トイレには向かない。

母はソ連（いまのロシア）、東欧旅行のとき、バイカル湖畔のイルクーツクで危うく死にかけた。あわてて病院に駆けつけた私の目に、トイレの隅に切って積み上げた新聞紙が飛び込んできた。死にかけてなお、この「ケンヤク精神」である。ここまでくれば、恐れ入るほかはないと感じ入った。

もっとも、のちにこの新聞紙は、ソ連の物資不足の賜物《たまもの》であり、母の仕業《しわざ》ではないことが判明した。ただ、トイレの新聞紙を見て、条件反射的に「母の仕業だ」と確信するくらい、母のケンヤク精神は私の頭に浸透していたのであった。

倹約した金は、儲けた金だ。

――レニエ

大病院の跡取り娘だった母にしてこのとおり。まして東北の農家に生まれ、斎藤家の養子となり、やがて輝子と結婚することになった父・茂吉のもったいながりは、さらに徹底していた。父は一時期、長崎医専の精神科教授として長崎に赴任していたと書いた。当時の教授は現在より社会的ステータスが高かったと思うのだが、茂吉の足元は、いつもちびた下駄だったことを覚えている。

ことほどさように、少し前までの日本人は、誰もが「もったいない」精神を心の奥底にもっていたのである。

津軽地方に、こぎん刺しという伝統工芸が伝えられているという。藍《あい》染めの麻布《あさぬの》に、白の木綿《もめん》糸で織目に添って手刺しし、幾何学文様《きかがくもんよう》を描き出したものである。当時の農民は、絹はもちろん木綿の衣料さえ着ることを許されておらず、こぎん刺しは当初、保温と補強が目的だったと聞いた。倹約は暮らしの必要条件であったのだ。

欧米での保温と補強なら、キルトがあげられよう。布を二枚重ね、間に綿《わた》などを入れ、縫い止めたものだ。そういうものにうとい私は「こぎん刺しとキルトは似ている」と勝手に思っている。

もちろんキルトは、いまではみごとな伝統工芸に発達している。

だいぶ前に、イギリスの北端に浮かぶオークニー島を訪ねたことがある。ここの名産品の一つが、独特の文様の編み込み模様のセーターだ。オークニー編みという。北海に浮かぶこの島は、冬は身を切る寒風にさらされる。島の女たちは、愛する家族のために、短い夏の間に、こまかな編み込みセーターを編み上げる。編み込み模様のセーターは、裏に何本もの毛糸が渡り、保温性が格段に高くなるのだ。しかも、どんな短い毛糸も捨てずにすむ。

オークニー編みの文様は一軒一軒、異なるのが特長だ。女たちは人真似を好まず、わが家だけの文様をつぎつぎと考え出し、編み上げていくからだ。

旅をすると、どこの国にも、ほんの少し昔の、まだ貧しかった時代に生み出された、すばらしい知恵の結晶といいたくなる手工芸品があることに気づく。

こぎん刺しも、キルトも、オークニー編みも、みんなそうだ。もとは貧しいためにモノをとことん大事に使うための工夫だった。そこから創造性がはばたき、ついには工芸品にまで昇華している。

人間とは、なんとすばらしい力を秘めた存在なのだろう。

もっとも、オークニーの編み込み模様のセーターは、冷たい北の海で遭難し、浜に打ち上げられたとき、着ているセーターから遭難者がすぐにわかるための知恵でもあるという、悲しい話もついている。

貧乏は英知だ。

――アラブの格言

何度も書くが、日本は二〇〇七年から人口縮小時代に入る。労働力が減っていくなかで、現在の経済レベルを保つにはどうしたらいいか。侃々諤々《かんかんがくがく》の議論が盛んである。はたして、洪水のようにモノにあふれた暮らしがそんなにいいものか。ちょっと頭を冷やして考えてみるという視点もあってもよさそうだと思う。

いまあるモノをもう一度見直し、大切にする気持ちを掘り起こせば、多少、生産力が細ったところで、新たな暮らし方が生まれるのではないだろうか。

少なくとも、これまでの人間は、少々モノが足りないくらいで、動じることはなかったはずだ。いや、足りないところを補いながら、それを暮らしの味わいに変えていくエネルギーと才知をもっていた。

オークニー島の旅をご一緒した女性は、いまも冬になると、かの地で求めたオークニー編みのカーディガンを愛用しているという。もうかなりの年月がたっているが、カーディガンはビクともせず、素朴な暖かさで彼女の冬を包んでいると聞いた。

自分を変える必要はない 機嫌を変えるだけですむ

上機嫌は、人が着ることができる最上の衣裳である。
——サッカレー

「先生は、いつもご機嫌がよろしくて……」と、私は、なぜか、会う人ごとにこう言われる。

たしかに、あまりしかめ面をしていたことはない。人に会えば、まず、ただでさえ下がっている目尻をさらに下げて、できるだけやさしく、温かい表情を浮かべることを常にしている。

私が相手にする患者さんは、心に病をもつ方なのである。見るもの、聞くもの、みなゆううつの種と感じられるようになってしまったり、あるいは、周囲のすべてが自分を攻撃するものだと思い込んでしまっていたりする。

私とてふつうの人間であり、歯が痛むこともあれば、腹の虫がおさまらないときもある。だが、職業がら、それを前面に出すことははばかられる。しだいに、自分を上機嫌に保つコツのようなものを身につけたのだと思っている。

そのコツは、実は二つしかない。

一つは、他人と自分をくらべて、どうのこうのと思わないようにしていることだ。

もう一つは、お金が足りないかもしれないとか、あの一言はひどいなあとかいうような心を暗くすることは、できるだけ忘れてしまうようにすることである。

この二つを身につけるだけで、人生の悩みのほとんどは消えてなくなってしまうに違いない。

この世に五〇パーセントの不幸はあるけれども、
一〇〇パーセントの不幸というものはない。

――松下幸之助

私は、けっして特筆するような才能をもって生まれたわけではない。

才能があることを英語で「gift」という。才能は神様からの「贈りもの」だということだ。スポーツに秀でていることも、美貌も、頭のよさも、努力で手に入れることができる部分がないわけではないが、「gift」なしではどうにもならない。

子どものころの私を知っている人ならば、今日、九〇歳になんなんとして現役医師を務めている私を見て、「よくまあ、ここまでがんばってこられた」と少しはほめてくださるのではないだろうか。

なにしろ、子どものころの私は、運動神経はゼロ。幼稚園や学校にはなじめない。むろん友だちはつくれない。学業成績だってトップクラスではなかったのだ。

だが、私のよいところは、そんな自分を嫌いにならなかったことだと思う。他人とくらべて、自分をどうのこうのと思ったこともない。

だから、大きく軌道を外したこともない。

私にも反抗期というようなものはあり、すんなり病院の跡継ぎにはならず、大学の文学部などに進んだこともあった。これとて、いまとなってみれば、文学者の父をもっていたのだから、けっして軌道から外れたわけでもなかったわけだ。

そうしたジグザグのなかでも、私は、他人と自分をくらべてヤキモキしないこと、心を暗くすることを忘れて目の前の仕事に黙々と自分なりに全力を尽くして取り組むことを、自然に実践してきたように思う。考えてみれば、これはこれで大いなる才能といえるのかもしれず、その意味では、私も、ちゃんと「gift」を受け取って生まれてきたのだなぁと、心の底から思えるようになっている。

オレは笑顔を絶やさない。

――マジック・ジョンソン

生まれ落ちた以上、自分と向き合いながら、生きていくほかはないのだ。それならば、せめて自分には、常に上機嫌で向かい合うようにしたほうがいい。

自分のいいところだけ認め、悪いところは気にしない。「忘れてしまう路線」でいけばいいのだ。そうすれば、自然に「自分はまあ、これでいいのだ」と思えるようになり、だいたいは上機嫌を保てる。

上機嫌でいれば、世の中、そう波瀾は起こらず、波おだやかな日々がつづく。おだやかな航海がつづけば、結局は、誰よりも早く、目的地の港にすべり込むことになるのである。

出口のトラブルは入り口で解決できないか

働くことは、私の感じでは、
食べることや眠ることよりも人間に必要である。
――フンボルト

躍進するデベロッパーの一つで、都内に超高層ビルを何棟か建設しているある不動産会社社長Aさんの話を聞く機会があった。

Aさんは平凡なサラリーマン家庭に生まれた。学費を稼ぎ出すために母親がパートに出かけるのを見て、大学に入学すると、「これからは学費も小づかいも、自分で働いて稼ぎ出す」と宣言した。もっともこのときは、早朝と夜、つまり大学にいく前後にアルバイトすればいいと考えていただけだったという。それだけで、人の倍働ける。

そして言葉どおり、人の倍、がむしゃらに働いた。だが、やがて「がむしゃらに働くだけでは限界がある。もっと効率的な働き方があるのではないか」と考え始める。こうして、卒業するころには、一般サラリーマンの平均年収の数倍ものお金を稼ぐようになっていたそうだ。

その方法とは？

車好きだったＡさんは、ある自動車会社と話をつけ、輸出される車を運転して船内に整然と並べて止める仕事を請け負う。日本経済が急成長していた当時は、輸出も右肩上がりで伸び、仕事はいくらでもあった。

そこで、大学の仲間に「遊んでいるならバイトしないか」と声をかけた。メーカーが必要とする人員をいつでも、すぐに用意できる輸出車運転の人材ネットワークをつくったわけだ。こうして、自分自身はハンドルを握らなくても、人を手配するだけで、アルバイト以上のお金を手にできるようになったのである。

ふつうの若者なら、ここまでだろう。

Ａさんはさらに知恵を絞った。学生が運転するのは船の近くまでとし、そこから先は、非番のタクシードライバーを使ったのだ。彼らは運転のプロだ。狭い船内に密着して車を止める技術に長《た》けており、それまでより、一割はよぶんに車を積めるようになった。

車の会社も喜ぶ。学生やタクシー運転手も喜ぶ。そして、Aさんも喜ぶ。

これは近江《おうみ》の商法といわれる。近江商人は「人よし、われよし、世間よし」の「三方よし」を最上とする。江戸時代、最も繁盛につながる商法とされていた考え方だ。

その後もAさんはアイディアを次々にひねり出し、二〇代なかばで仲間と会社を立ち上げると、数年後には高層マンションを建設する大会社に育て上げた。現在では、遅れていた日本の不動産証券化ビジネスの先頭に立って、市場の牽引車役を果たしている。

貧困は貧乏人を追いかけ、
富は金持ちを追いかける。

――『タルムード』

サクセスストーリーの主人公には、共通することがあるようだ。はじめはお金を稼ぐために仕事をするが、やがて仕事を工夫する発想が生まれる。そこから成功の門が開くということだ。

人間には、上を目ざすという本能に近い思いがある。仕事をしていれば、必然的に、進化を目ざす思いが突き上げるものなのだ。この進化が「三方よし」になれば、自信がもてるようになる。自信をもつことは、お金をもつこと以上の喜びを連れてくる。そして、仕事に喜びを見いだすようになると、たいていの場合、お金儲けの道も開けてくる。仕事の工夫とお金儲けは正比例するのである。

少し前に、『金持ち父さん、貧乏父さん』（筑摩書房）という本がベストセラーになった。たしかこの本にも、同じような例が出ていた。

ある少年が、金持ちになる方法を父に尋ねると、父はコンビニでアルバイトすることをすすめる。このアルバイトをへて、少年は売れ残りの雑誌をもらい受けて子ども図書館をつくり、お金をとって貸すことを考えつき、成功の第一歩を歩み出すのだ。

若くして超リッチになった企業家の多くが六本木ヒルズに住んでいるところから、彼らを六本木ヒルズ族というそうだ。いまをときめく六本木ヒルズ族とて、ある日、突然、金持ちになったわけではない。多くは、ごく小さな工夫から、大きなビジネスチャンスをつかんだのではないだろうか。

正面を突くのは無策　意表を突くのが対策

究極の失敗の原因は、安住してしまうことだ。
——テッド・ターナー

ディズニー・シーが人気だと聞く。一番人気は、見物人に思いっきり水をかけるアトラクションだとか。園内で簡単なレインコートを売っているが、そんなものでは防ぎきれないほど情け容赦なく水をかけるという。それが人を熱狂させるのだから、世の中はおもしろい。

ひと昔前なら、お金を払って入場してくれたお客を水びたしにするというアイディアなど、会議で総スカンを食ったのではないだろうか。

だが、サプライズ、人の意表を突くことは、現代ビジネスの要《かなめ》となっている。いや、それどころか、昔から最大の喜びを人に与えたものだったのである。

クレオパトラがシーザーのハートを射止めたのは、絶世の美女だったという理由だけではない。クレオパトラはシーザーとはじめて出会うとき、みずから、くるくると巻いたカーペットのなかに身を隠し、「エジプト女王からの贈り物です」とシーザーのもとに届けさせた。

シーザーがカーペットを開くと、なんと、なかからエジプトの女王が現われた！　この天下一品の機知により、クレオパトラは、敵国の皇帝だったシーザーの心を、一瞬にしてとらえてしまったのである。

この「サプライズ」をキーワードに会社を設立し、三年でナスダック（現ヘラクレス）市場に、その三年後には東証二部に上場という史上最短記録を打ち立てた人がいるようだ。テイクアンドギヴ・ニーズの野尻佳孝さんである。

ある日、知人の結婚式に出席して、野尻さんはすっかり退屈してしまった。周囲を見ても、みな、どこか飽き飽きした顔だ。

ところが、自分があれこれ工夫を凝らして幹事をやった二次会では、仲間の顔は一変した。「そうだ。いまはもう、ありきたりの結婚式が望まれる時代ではない」と悟り、すぐに会社をやめると、ウエディングパーティーを企画する会社を立ち上げた。

資金がなかったから、専用式場はもっていない。そこで一軒家レストランを借り切って、ウエディングパーティーを行なった。これが人気を得た。

いまでは、レストランウエディングから、一軒家を借り切ったスタイルで行なうゲストハウスウエディングへ進化し、すっかりウエディングパーティーの主流になっている。

その重要コンセプトが「サプライズ」の精神だ。結婚式で、人気芸能人からのビデオレターがいきなり披露される。亡くなった新婦の父親の映像を集めて編集し、披露宴で流す。必要とあれば秘密のままで、ことを進める。そんな意表を突いた演出が若いカップルを魅了しているようだ。なるほどと思う。

才知は機転に取って代われないが、
機転は多くの才知を補うことができる。

——ラ・ロシュフーコー

真珠王・御木本幸吉は、幕末に、いまの三重県鳥羽市の海上輸送を商《あきな》う家に生を受けた。一七歳のとき、英国の測量船が鳥羽に入港した。近隣の商人は先を争って小舟に商品を積み込み、英国船に近づき、なんとか商いをともちかけた。だが相手にされない。

これを見ていた御木本は、船の上でいきなりあお向けになったのだ。足を高く上げると、両足で大きな桶をくるくる回して見せる。

このパフォーマンスに目を止めた英国船の船長が船に呼び寄せ、さらに演技を所望した。これがきっかけになって、御木本はなみいる競争相手を尻目に、まんまと英国船との取引を成立させてしまったのである。

前出の野尻さんは、クリスマスにサンタクロースの格好をして、投資してくれそうな会社の前で社長を待ち受け、「クリスマスプレゼントです」といって事業計画書を手渡したことがあるそうだ。

常に正攻法、正面突破を試みることだけがビジネスではない。

ときには、相手が思ってもいなかったサプライズ、奇襲作戦で切り込んでいくことも試みてもよい。

人がつまずく場所に好機がある 道を見失なったとき希望が始まる

真剣勝負には、
よい意味で「駆け引き」が必要だ。

——元ボクシング世界王者　輪島功一

私には三人の息子と娘が一人あるが、子どもらの進路に関してはいっさい口をはさまなかった。結果的には、次男が精神科の医師になり、長男は病院の理事をしている。しかし、長男は最初から病院を継いだわけではなく、自分で望んだ広告業界でしばらく仕事をしていた。病院の経営を担うことになったのは、病院経営が困難な時代にさしかかり、見かねてのことだ。

三男と長女はそれぞれ好きな道に進み、成功しているかどうかはわからないが、どちらも自分なりに納得した人生を生きている。

私が子どもたちに、「思いのままに生きてほしい」と強く思うようになったのは、自分の適性とは相反する病院長という立場に心身をすり減らす父・茂吉の姿を目《ま》のあたりにしてきたことの影響が大だと思う。

とりわけ、父は経営につきものの、人との交渉が大の苦手だった。

実は私も、交渉ごと、とくに金がからんだ交渉は、天敵のように忌み嫌うヘビよりもさらに苦手だ。あるいは私の長男は、私の苦手を見抜き、病院経営を肩代わりしてくれたのかもしれない。

自分の弱さを乗り越えようとしてホラを吹く。
だが、吹いた以上はやり遂げる。

——三浦雄一郎

最近、娘や孫と「ちょっとコーヒーでも」となると、アメリカふうのコーヒーショップに連れて行かれる。

そうしたなかの一つ、タリーズコーヒーを日本に導入した松田公太さんは、二〇代でこのビジネスを起こし、一〇年足らずで全国二〇〇店に及ぶコーヒーショップチェーンをつくりあげている。

アメリカでふと飲んだタリーズコーヒーの味にほれ込み、トム・オキーフ会長に直談判し、すでに大手日本企業との提携話が進んでいるところを、自分との提携に切り換えさせてしまったことは、知る人ぞ知る「武勇伝」である。

交渉を始めたとき、松田さんは、オキーフ会長とは一面識もない。間をとりもってくれる人脈もない。「オキーフ会長と話をしたい」と本社に電話を入れても、もちろん、オペレーターがつないでくれない。

だが、松田さんは毎週一回、メールを送りつづけた。そのうえ、返事も得られないうちに、勤務していた銀行をやめてしまう。「このコーヒーチェーンを日本にもち込んで展開したい」という気持ちが固まった以上、退路を断ってこのビジネスに賭けようと決意したためだ。

いくつかの幸運も重なり、ついにオキーフ会長と直接、話し合う機会がもてた。松田さんは、描いている展開プランを夢中になって話した。

当時、タリーズコーヒーが提携話を進めていた相手である大手流通系企業は、自社が展開するスーパーの一角にコーヒーショップを開く計画だった。

そこを突いて、「それではタリーズコーヒーがもつブランド、品質などの付加価値が生きない。生かすためには、青山、銀座などの一等地でなければ成功しない」と力説したのである。そして、自分に、実験的に一号店を出させてほしいと願い出た。


損せぬ人に儲けなし。

——ことわざ

このとき、大きな駆け引きにも出た。

一つは、一号店オープンの資金はすべて自分が調達すること。もう一つは、すでに一等地にいい物件を確保しているというニュアンスを伝えたことだ。

ここまで熱意を示されれば、相手の心も動く。こうしてついに、一面識もないアメリカの大企業との提携を実現したのだ。

実は、松田さんがもち出した条件は、どちらも話したときにはまったくめどもついておらず、そのため、あとで大変な苦労がともなったという。だが、「どうしてもこのビジネスをやってみたい」という熱意で、その苦労をも乗り切った。

他人に花をもたせよう 自分に花の香りが残る

貧しくても、生活を愛したまえ。

――ソロー

わが家に見えた客人の一人が、白い腕輪のようなものをしている。アクセサリーという印象はない。なにかのおまじないなのだろうか。

気になると、聞かずにはいられないのが私の性分だ。「それはなんのシルシなのですか?」とお尋ねすると、「ホワイトバンド」だと言う。サッカーの中田英寿選手もベッカム選手も、歌舞伎の中村勘三郎さんも俳優のトム・ハンクスも、みんな、この白いバンドを手にしているという。

ホワイトバンドとは、世界の貧困撲滅のための国際NGO（非政府組織）が展開している運動なのだそうだ。書店やＣＤショップで、あるいはインターネットなどを通じて購入できるシリコーン製のバンドである。

いま、この瞬間にも、三秒に一人、貧困のために子どもの命が失なわれている。世界は繁栄をきわめているように見えるが、繁栄からこぼれた人は深い闇に沈んでいくのだ。

美しく洗練された都市の旅もよいが、ときには、まだまだ貧しさの最中にある国を旅することも意味深い。

少し前、旅行作家協会で、スリランカの旅を企画したことがある。私はあいにく参加できなかったが、この旅に、小学生の息子さんを連れてきた会員があったそうだ。スリランカの「絶対的な貧しさ」をわが子に見せたいと考えたのだ。

日本人が泊まるホテルは、サンクチュアリ（聖域）のように、一般の人々と断絶されている。だが、外出のおり、車窓からかいま見る人々の暮らしぶりにさえ、そのお子さんは呆然とし、言葉もないほどの衝撃を受けていたという。世界にはまだまだ、日本では想像もできない貧困が残っているのだ。

だが、スリランカを旅した会員の一人は、こうも語っていた。

「でも、子どもたちの目はキラキラ輝いて、旅行者に向かって、真っ白な歯を見せて笑いかけるんですよ」。と。その方は、お子さんに、こうした子どもの目も見せたかったに違いない。

幸せになりたいなら、
もっているものを増やすのではなく、
欲望を減らせばいい。

――セネカ

ボランティア運動など、社会貢献に関心をもつ人が増えてきた。

和菓子の老舗《しにせ》・虎屋ではなかなかユニークな社員教育制度を採用している。Ｅｇｇ21と呼ばれる制度だ。

社員は自分が希望するテーマをＥｇｇ21委員会に申し出る。そして、委員会がオーケーを出せば、一人最高二〇〇万円までの資金が貸与されるか、最長二年間の長期休暇が与えられる。

虎屋は、この制度の利用法をこうイメージしていた。「個人的な研究を進めるために留学する」「趣味をさらにきわめる」「教養を高めるために大学に入る」……もちろん、そんな人も多く、ヒマラヤ遠征に行ったり、ドーバー海峡を泳いで渡った女性も現われた。

意外だったのは、ボランティア活動のために制度を利用する人が少なくなかったことだった。

お菓子づくりとボランティア。一見なんの接点もないように見える。だが、ボランティア活動から帰った人は、人間としてひとまわり大きくなって、仕事面でもその大きさをいかんなく発揮するようになるというのである。

所有して欲望を満たそうとするのは、
藁《わら》で火をもみ消すようなものだ。

――中国のことわざ

人のためになにかができることをたしかに感じる。そんな経験は意外にも、自分にも大きな喜びを与えてくれる。

美しい人生を見たいのなら心の窓をきれいに磨くことだ

平凡の凡を重ねていけば、いつかは非凡になる。

——元東芝社長　岩田弍夫

「お駄賃」という言葉は、もう死語なのかもしれない。

私の子どものころには、生きた言葉であった。子どもは、家事や家業のちょっとした手伝いをすると、いまでいえば五〇円とか一〇〇円程度のお金をもらえた。これがお駄賃だ。貯金箱などに貯めておき、ほしいものを買ったものである。

いまの子どもは、ほしいものはみんな親や祖父母が買ってくれる。働いたり手伝いをしたりしなくても、お小づかいを手にできる。

これでは、お金のありがたみも、働く喜びも知らぬまま成長する子どもが増えてしまう。そんな子どもが、ニートになったところで、子どもだけを責めることはできないのではないか。

そのうえいまは、マネーゲームに近い感覚で大金をつかむ風潮も強くなっている。子どもをしっかり育てるうえで大切なのは、「お金は額に汗して手に入れるものだ」ということを、幼いころからしっかり教え込むことではないだろうか。

最近、日本では、若い映画監督が実にいい作品を撮り始めたという。レンタルビデオが普及してから育った世代が台頭してきたからだ。レンタルビデオのおかげで、映画の好きな子どもは小中学生のころから、たくさんの映画を見られる。そうした経験の集積で、いい映画が撮れる世代が育ってきたというのだ。

子どものころにしっかりとなにかを体験しておくことがいかに大切であるかを、教えられる話である。

成熟するためには遠回りをしなければならない。

——開高健

出前という言葉を死語にしたのは、宅配ピザの登場がきっかけだといわれる。だが、いまでは広範に普及した宅配ピザも、最初は、都内でも青山や麻布など先端的なライフスタイルの人が住む街でしか展開されていなかった。宅配ピザをとることは、おしゃれなライフスタイルの象徴だったのである。

世界初の宅配ピザビジネス「ドミノ・ピザ」を実現したトム・モナハンは、創業の動機をこんなふうに語っている。「なにしろお金がなかった。なにかをやりたくても資金もなければ、銀行も振り向いてくれない。そんな自分がなにかをやるには、がんばるほかに方法がなかったんだ」と。

電話でピザの注文を受けて、配達する。このビジネスモデルはトムの発案ではないという。大手のピザチェーンではとっくに考えていた。だが、どこも実際には手をつけなかった。

電話を受ける人、ピザをつくる人、配達要員……どう考えても、採算がとれるわけがないと、プランをあっさりと捨てていたのだ。

だが、トムは、お金を稼ぐには、人一倍、汗をかかなければならないことを知っていた。一人二役、三役。身を粉にして働いた。そして「ドミノ」の名のとおり、宅配ピザはやがて、ドミノ倒しのように世界規模のビジネスに大化けしたのである。

「知りません」ですむときも「知りませんが」と一言プラスしよう

ものには時節。

――井原西鶴

人間の精神はきわめて繊細、複雑にできている。相手に対する心づかいが足りなければ、人間関係がたちまちギスギスしてしまう。だが、もっと怖いのは心づかいの過剰だ。やりすぎである。

競争が激化するビジネスで、「おもてなしの心」がクローズアップされていると聞いた。

おもてなしの極意は、お客がそうしてほしいと思う前に、その思いをつぎつぎ提供することだ考えていないだろうか。いわゆる「かゆいところに手が届く」サービスをベストとするわけだ。

だが、大阪のウェスティンホテルで「伝説のドアマン」といわれた名田正敏さんは、おもてなしの極意はむしろ「さりげなさ」にあると言う。

たしかに、お客の一人一人の琴線《きんせん》に触れるみごとなサービスと評される名田さんの仕事を遠目に見ても、特別なことをしているようには見えない。さすがにあいさつのときに浮かべる笑顔は最高のもので、ただものならざる雰囲気をたたえているが。

ところが、お客がなにかを求めている気配を察したり、なにか問いかけたりすると、たちどころに、頭の中の膨大なデータベースが回転を始めるようだ。

「このあたりで、ちょっと気のきいた花を買えるところがあるだろうか」「今日は奥さまのお誕生日でしたね」とか、「最近オープンしたおいしいレストランを紹介してほしいんだが」「○○さまはエスニックがお好きでしたね」とかいうように、まさに撃てば響くようなリアクションが返ってくる。

こうなるまでに、たとえば新人時代は非番の日に企業を回り、駐車場に張り込んで、役員の車の番号や、運転手の特徴をメモして歩いたという。紳士録で家族の誕生日も調べる。レストランのサービス係をしていたときは、残した料理をチェックして好みをメモした。それらの膨大なメモを通勤時に繰り返し見て、頭にたたき込んだのだという。

一人一人の人間を知ることは、
人間一般を知ることよりも、はるかにむずかしい。
——ラ・ロシュフーコー

とはいえ、ここまでのサービスマンなら、ほかにも例がありそうだ。名旅館の女将《おかみ》や、銀座の高級クラブのママには、お客の顔も名前も好みも一度で覚え込んでしまう豪の者もあるという。

だが、名田さんのような一流のサービス人は、手元にデータがあるからといって、それをやたらには使わないのだ。

「データは集めるのと同じくらい、使い方がむずかしいものです。よほど気心が知れてから、あるいはお客さまのお尋ねがあったときに、さりげなく使う程度です。そうでなければ、気味悪がられるだけですよ」と聞き、さすが達人の言葉と感じ入った。

さりげない一瞬のために、たゆまずデータの集積に務める仕事人への畏敬の思いを抱いたしだいである。

私のように本を書いたり講演したりしていると、一面識もないのに、当方の好みに精通されている方に出会うことがある。心得ております、といった顔で、「先生は、ウナギに目がないそうで……」とみごとな蒲焼を供してくださったりする。

だが、そんな日にかぎって、前日もウナギ、当日の昼もウナギ、ウナギだけはもうご勘弁、という気持ちだったりすることがあるのだ。

欧米では、客のオーダーを聞く前に、もてなす側がアクションを起こすことはまずありえない。必ず、May I help you?（なにか……）と声をかけ、「コーヒーもあれば、お茶もミルクもありますが？」と、ごく自然に、お客に好みのものを選ばせる。

人は、結局、自分が望んだようにしたいのである。最高のおもてなしとは、そんな人間の心理を知るところから生まれるようだ。


その人全体からにじみ出る味わいで、その人物がわかる。

――元京都大学総長　平澤興

そんなさりげない心づかいをしている一人に、マイクロソフト社のＣＥＯスティーブ・バルマーをあげる人もいる。

マイクロソフト社の創業者ビル・ゲイツとともにハーバード大学きっての秀才といわれた二人は、在学中から競い合いながらも最も親しい仲となり、卒業後、多少の曲折をへて、バルマーはビルがつくった会社に入社する。ここでバルマーは徹底的にビル・ゲイツを補佐する脇役に徹しているのだ。常にビル・ゲイツの引き立て役を務めたのである。

マイクロソフト社がここまで急成長する過程には、銀行や株主、マスコミなど、社会の前で目いっぱいの背伸びをしてみせなければならないことが何度もあった。急速な肥大化に、何度となくさまざまな圧力が加えられたからである。

そんなおりも、バルマーはビルを引き立てつづけた。

それを象徴するのが、バルマーがビルと同席するときは、いつも一歩か二歩、ビルよりもうしろに立つという位置をキープしていることだった。

ビル・ゲイツは年齢よりずっと若く見えるうえに、思いのほか小さな体格だからである。身長はバルマーのほうが一〇センチ近くも高かったのだ。

なにごとも実質本意のように見えるアメリカでも、人の心理を突いたデリケートな演出が行なわれていたという事実は、なんとも興味深い。

6章 ＊ 心が成熟する言葉

この道が最善と信じよう

不便が不幸だとは限らない

逆境は真実への第一歩。

——バイロン

長寿は神からの贈り物ではあるが、多少やっかいなところもある。

さすがに九〇年近くも使いつづけると、体が「勤続疲労」を訴え始めるのだ。若いときにはなんでもなかったようなことが、できにくくなっていたりする。ちょっとした段差にもつまずきそうになるし、自分ではしっかりつかんでいるつもりのものをポロリと落としてしまったりする。

そんなときは、「茂太、衰えたり！」とちょっとめげそうになる。

しかし、先年、パラリンピックのテレビ中継を見ていて気を取り直した。

先天性の障害、事故や病気など後天的な障害……パラリンピックでは、さまざまな障害をもった方が、額に汗の粒を輝かせてスポーツに興じている。

障害をもつ方々がこうした表情を取り戻すまで、想像以上の苦しさと戦ってこられたに違いない。

とりわけ、日本ではそうだったかも……と想像したりする。最近でこそ事情が少し違ってきたが、日本で障害のある方を見る目には、まだ「かわいそうに」という思いがこもるからだ。

だから、かつて海外の旅先で、障害者を見た母親が、子どもに「あの人、あんなにがんばっている。えらいわねえ」と語りかけるのを耳にしたとき、私は心の底から恥ずかしいと思ったものだ。正直にいえば、当時の私の心の奥底にも、「障害者はかわいそう」という思いがゼロだったとはいえないからだ。

ヘレン・ケラーは「障害は不便だけれど、不幸ではない」と言っている。

不幸だと思ってしまえば底なし沼だが、不便は工夫で克服できる。

年齢を重ね、多少の衰えを感じるようになると、注意深くふるまったり、あるいは工夫を重ねることで機能の衰えを補うことができる。そうやって、それまでと同じように日々を暮らす自分を、内心ちょっとだけ「がんばっている」と思う気持ちが生まれてくる。

この気持ちは、けっして自信に満ち満ちて生きてきたわけではない私を、けっこういい気分にしてくれる。

悪いものを悪いと言ったところで、それが何の役に立つか。

——エッカーマン『ゲーテとの対話』

私は、まだ一万円札を指先でつまむことができる。そんなことがありがたいと思えるのは春山満さんのことを知ってからだ。

二四歳で進行性筋ジストロフィーを発症した春山さんは、徐々に筋力が衰えていき、いまではお札一枚をつかむ力がないそうだ。

だが、「そんな自分こそ、二一世紀最大の産業になるといわれるヘルスケアビジネス、介護ビジネスの最適任者ではないか」と考えたというのである。

病気の宣告を受けたときは不動産業を営んでおり、介護ビジネスにはまったくの素人だった。だが、自分が障害を負う身になってみると、必要なものがどんどん見えてきた。

まず情報がまったく足りない。そこで情報誌を立ち上げ、次に福祉機器のリサイクルなどのイベントも行なった。

その後、介護用品を開発・製造する「ハンディネットワークインターナショナル」を立ち上げた。本当に使う身になって開発された介護機器があまりに少ないことに気づいたからだ。

春山さんが三年がかりでみずから使用実験を繰り返し、妥協なくつくりあげた特殊浴槽は、寝たきりのお年寄りでもゆったり入れると聞く。あまりに気持ちよさそうな表情を浮かべるお年寄りを見て、介助するヘルパーが思わず泣き出してしまったというエピソードが残っている。

体が不自由になり、いろいろなものをなくしてきたが、なくせばなくすほど、見つかるものがあると春山さんは言う。たしかに、お金、恋、仕事……と、人生ではとんでもないなくしものをすることがある。だが、その代わりに、きっと別のなにかを見つけることができるはずだ。

生き方上手は痛み止めの言葉をもっている

生まれ、死ぬ。死に、生まれる。

かくて、人生は新しく、つねに新鮮である。

——武者小路実篤

長崎新聞が、県内の小中学生を対象に、「生と死のイメージに関する意識調査」を行なっていた。その結果を見て仰天したのは、私だけではあるまい。

「死んだ人が生き返ると思いますか?」の問いに対して、なんと約一五パーセントが「はい」と答えているのだ。

この調査は、小四、小六、中二の三つのグループに分けて実施されている。

「生き返ると思う」は、中二グループで約一九パーセントと最も高い。小四は約一五パーセント。小六は約一三パーセントとなっている。

中二といえば一三、四歳だ。この年齢になってもなお、いまの子どもは、「死」がなんであるかを理解していないのだろうか。

地域別に見ると、「生き返る」と考える子どもは都市部に最も多く、一六パーセントに達している。

「生き返る」と思う理由は以下があげられている。

・死んだ人が生き返らなければ、地球上から命が絶えてしまうと思うから
・医学が発展すれば、人は死んでも生き返ることができると思うから
・愛があれば、死んだ人が生き返ると思うから
・霊は死んでいないと信じているから
・人は死んだら終わりとすると悲しいから
・奇跡が起きるかもしれないと思うから

この調査の背景には、長崎で小学生が小学生を殺すという事件が起こり、同級生を殺害した少女は、（殺してしまった子に対して）「会ってあやまりたい」と言ったことがある。

それにしても、いまの子どもたちは、命は一度失なわれるとけっしてとり返すことができないものだという認識を根本的に欠いていることに驚かされる。

生まれながらにして、死ぬときの対応の仕方を模索していくのが人生のような気がする。

——ビートたけし

私は、小学六年のとき、死んだ祖父と車に同乗した。そして、祖父の体がしだいに冷たくなることを、文字どおり肌身で感じた。死の実体を否応なしに実感するという体験であった。

帝国脳病院の院長であり、青山脳病院の創設者でもあった祖父は、一九二四年（大正一三）に、失火によって自慢のローマ式建築の青山脳病院が焼け落ちてから、別人のように衰えてしまっていた。一九二七年（昭和二）には院長職を退き、父がそのあとを継いだ。

引退後は、熱海の福島屋という旅館を好んだ。そこの蒸し風呂をとくに好み、しばしば出かけていた。

そして、この年の一一月、祖父はこの宿で亡くなったのである。部屋付きの仲居が気がついたときには、祖父はすでにふとんのなかで息を引き取っていたという。いわゆる心臓麻痺《まひ》だった。看取るものは誰もいなかった。

やることなすこと万事が派手で、にぎやかなことが好きだった祖父にしては、その死はあまりにもひっそりと寂しいものだった。

知らせを聞いて、父と母が遺体を引き取るために車で熱海に向かったが、このとき、なぜか私も同道したのである。

「長男だから」だったのだろうか。

帰途は、前の席に運転手と父が位置し、後部座席の真ん中に祖父の体を座らせ、私と母が左右から支える形になった。うちの車には祖父を横たわらせるスペースはなかったからである。

老人には眼前に、若者には背後に死がある。

——エストニアのことわざ

私は、どちらかというと父より祖父のほうが好きだった。父は癇癪ばかり起こしていた記憶があるが、祖父は私にやさしく、なにをしても目を細めてほめてくれた。大きな口をあいて、カッカッカと明るく笑う。

その祖父に寄り添っていたのだ。死んだことはわかっていたが、怖いとか、気味悪いという気持ちは少しもなかった。

だが、道中、祖父はなんの反応も示さなかったばかりか、体がだんだん冷たくなってくる。その冷たさはそれまで体験したことのない、異様な冷たさだった。

こうして、私は祖父の死をしたたかなまでに実感した。

人は必ず死んでいく。

死とは、このように無常であり、とり返しがつかないものだと、私の脳裏にもはっきりと刻み込まれたのだった。

墓に眠るのは死者ではない生きている自分の記憶である

花、無心にして蝶を招き、
蝶、無心にして花を訪ねる。
――良寛

イラク情勢は膠着《こうちゃく》状態のままであるようだ。

イラクのどこそこで死者が出たというようなニュースに触れるたびに、私はふっと地図に目をやることがクセになっている。そして、「シャニダールは無事だろうか」と祈るような思いを込める。

シャニダールとは、イラク北東部のザグロス山脈のなかで発見された古い遺跡だ。

この遺跡は、現在、発見されているかぎりでは、人類最古の埋葬の跡が発見されたことで名高い。

遺跡からは何体かの人骨が発見されたが、なかの一人は膝を折り、足を組んだ形のまま、発掘された。この死者を葬った人たちは、明らかに死を特別なものと意識していたに違いない。死者の姿勢から推測して、特別の思いで葬っていたことがうかがわれる。

さらに世界を驚かせたのは、遺骨のまわりから、花の花粉の化石が大量に発見されたことだ。ノコギリソウ、キンポウゲ、ヤグルマソウ、ムスカリ、タチアオイ、アザミ……など多種多様だ。

しかも、これらの花は、すべてが墓のまわりに咲くものではなかった。おそらくは薬効をもつ花を遠くから摘んできて、死者にたむけたのではないか。そう推測されている。


死者のためにそっと泣け。憩いを見いだしたのだ。

——『旧約聖書　集会の書』

シャニダール遺跡は、現在ではすでに絶滅してしまったネアンデルタール人の遺跡である。

われわれの先祖をたどるとネアンデルタール人に行き着くと考えている人がときどきいるが、そうではない。現代の人類は、ネアンデルタール人とは進化の道が異なっている。ネアンデルタール人は旧人、われわれは新人と分けられる。われわれは新人クロマニヨン人の子孫である。

ヒトは、すでに絶滅した旧人の段階から、すでに生と死は大きな断絶をもつものであり、死はかぎりない哀しみであると同時に、尊厳に満ちたものであることを知っていたのだ。

よく、ヒトとサルはどこが違うのかという議論が行なわれる。ヒトとサルをはっきり分ける違いの一つが、この「死を悼む」思いをもっているかどうかだとはいえないだろうか。いまのところ、死んだものを特別な扱いをして悼む習性をもつ動物は発見されていない。

天国は母親の足もとにある。

――イスラム苦行僧のことわざ

あるシニア問題の研究所が調査したところ、現在、三〇パーセントの人は「墓はいらない」と考えているという。

この調査結果を目にして、私は少しばかり暗い気分になってしまった。現代の日本人は、ネアンデルタール人でさえもっていた死者を悼む気持ちを失なってしまったのかと思ってしまいそうだからだ。

神様と母親のことは、いつもうまく言えない。

——インドのことわざ

わが家には、青山に二基の墓がある。

一九五三年（昭和二八）二月に、父は逝《い》った。

なにごとも気の早い母は、その二年前に、「茂吉が埋まるのはやはり青山であるべきだ」と言い出し、青山墓地の一画を手に入れていた。そこに「茂吉之墓」と刻んだ墓が建てられた。「茂吉之墓」の字は父の自筆による。

父が亡くなり、無事、納骨がすんだころ、今度は「茂吉之墓に私が入るのはおかしい。私の墓をつくりなさい」と母が言い始めた。

なんぴとたりとも、母の言には逆らえない。

私は父の墓から二メートルぐらい離れたところに別に墓をつくり、私の拙い筆による「斎藤家之墓」の碑銘を刻んだ。それから三一年後、母はこの墓に納まった。

というわけで、ちょっとややこしいのだが、いまも、命日や彼岸などには、斎藤家の誰かしらが両親の二つの墓に詣でている。最近ではちょっと間遠になってしまったが、むろん、私もときどき、父の墓、そして母の墓を訪れる。

私は、子どものころから、両親をパパさま、ママさまと呼ばされていた。だから、墓の前では、小声で、「パパさま、こんにちは」「ママさま、お久しぶり」と、このときばかりは子どもに戻る。

そして、ほの甘い感情にひたってくる。

墓の形態はなんであってもかまわない。ときおり、すでに逝ってしまった大切な人を想い、その墓所を訪れることは、ヒトであることの一つの証であるような気がしてならない。

「さようなら」と言わずに「ありがとう」とほほえもう

人は四つのものを数えられない。

自分の罪、自分の敵、自分の借金、そして自分の寿命。

——ペルシャの格言

長寿の時代だとしみじみ思う。

最近は、知り合いの訃報《ふほう》が届くことも増えてきたが、九〇代、それもなかばから後半ということがまれではない。

まさに天寿満ちての大往生だから、葬式に出かけても、誰もあまり涙に濡れてなどいない。さすがに喪主やご遺族はハンカチを目に当てるシーンもあるが、底流に流れているのは納得であり、満足であることが多い。

葬式のスタイルもずいぶん変わってきた。

仰々《ぎょうぎょう》しい祭壇は珍しくなり、最近は、故人の好きな花づくしのことが多い。私は、そんな花づくしの葬式に参列すると、二〇年以上も前になる母の死を思い浮かべずにはいられない。私も母の葬儀を花で埋めたからである。

母は享年八九歳。堂々の大往生の部類に入るだろう。人の寿命にこれで十分はないから、私は底しれぬ悲しみにくれていた。

だが、母には涙は似合わない。

母はどんなことであれ、起こってしまったことを嘆いたり、悔やんだりということには無縁だった。空襲でなにもかも焼かれ、文字どおり、身一つになってしまったときも、人から罹災《りさい》を慰められると、「きれいさっぱり焼けて、かえってさばさばしたわ」と答えたそうだ。

葬式で、母の死を惜しんだり、嘆き悲しんだら、きっと三途《さんず》の川の手前あたりで引き返し、「死んでしまったものはいくら言っても、しかたないじゃないの」と言い込められてしまいそうな気がしてならなかったものだ。

過ぎたことは悲しんでもしかたがない。

――シェイクスピア『冬の夜ばなし』

加えて、母は葬式反対論者であった。死の何年も前から、「もし、おまえが社会的な儀式として必要と思うなら、無宗教で。写真はこれを使うように」などとあれこれ指示していた。

これもまた、あっぱれというほかはない。

母の遺言どおり、葬式にはお坊さんも牧師さんも呼ばない。かわりに、母らしい雰囲気の、マダム・ヴィオレというバラの花をふんだんに用意した。

そして、式の内容もめそめそしたものにはしない、と決めた。母はめそめそ、おどおどとは対極の女性だったからである。

弔辞を読んでいただく方も、哲学者の谷川徹三さん、作家の阿川弘之さん、侍従長だった入江相政さんなど、なるべくユーモアのセンスの豊かな方にお願いした。

はたして、お三方が弔辞を読まれると、式場のあちこちから、クスクスと抑えた笑いが聞こえてきた。私も思わず吹き出しそうになり、喪主という立場上、あわてて唇をかんで笑いをこらえ、表情を引き締めたものだった。

死にもいろいろあるので一口にはいえないが、少なくとも母のように天寿をまっとうしたと思われる死はむしろめでたいくらいなのだ。涙ではなく、ほほえみながら見送ることがあってもよいのではないか。

生死などはなんでもない。生きていく態度が重要なのだ。

——稲垣足穂

父と母はまことに異質同士の夫婦であり、実際、途中一〇年ほど別居している。父には愛人もあった。けっして琴瑟相和《きんしつあいわ》した夫婦とはいえない。だが、四人の子をなし、それぞれの形で十分な愛情を示してくれ、子どもの身から見れば、かけがえのない父と母であった。

あの世とやらで父と母がどんなふうに暮らしているのか、ふと想像することがある。俳人の楠本憲吉さんは、なにかの雑誌に、「うるさいのがきたと茂吉、苦笑い」と書いていらした。

読んだとき、私は誰に遠慮することもなく、大声で笑ってしまった。

本当は損得などない 得したと思うことが得なのだ

聞くより、見るほうがいい。
座っているより、行くほうがいい。

——モンゴルのことわざ

葬式の話ばかりで恐縮だが、私は父のときも母のときも、喪主を務めた。斎藤家の長男である以上、逃れられない務めだという思いがあり、ごく自然のこととして受け止めた。

だが、実際に喪主を務めてみると、予想以上に疲れた。式の準備に追い立てられ、一家の代表として参列者に失礼があってはならぬと、目いっぱい緊張するからだろう。

母の葬儀のあと、知人から電話があり、「喪主の心得を教えてほしい」と言う。父君が亡くなり、喪主を務めることになったが、不安でたまらないというのだ。私が彼にしたアドバイスは「喪主ができて幸運。人生をトクしたと考えればいい」というものだった。

不安にかられている知人をからかったわけではない。

私は、なんであれ、新しい体験をしたり、人がしないこと、人ができない体験をすると、まず「トクをした」と考える習性をもっているからだ。

これは、母・輝子から受け継いだ遺伝かもしれない。

私と一〇歳違いの弟・宗吉は、北杜夫《もりお》というペンネームの作家であり、ナチス・ドイツの夜と霧作戦を主題にした『夜と霧の隅で』（新潮社）という小説で、一九六〇年に第四三回芥川賞を受賞している。

だが、北杜夫の名を有名にしたのは、船医としての体験をユーモラスにおもしろおかしく綴《つづ》った『どくとるマンボウ航海記』（中央公論社）だった。いまでは文庫版や英訳本も出ているが、初版は一九六〇年（昭和三五）にさかのぼる。一九五八年（昭和三三）末から翌年にかけて、宗吉は六〇〇トンというちっぽけな水産庁の調査船で南太平洋まで出かけたのだ。

弟が、その船の船医として乗り込みたいと切り出したとき、家族は当然のことながら不安から、賛成できかねた。

だが、母はあくまでも前向きだった。「あら、おもしろいんじゃない。行ってらっしゃいよ」とあっさりしたものだった。

小学生だって海外旅行経験は珍しくないいまでは想像もつかないだろうが、当時はまだ「日本国復興に寄与する者」のみしか海外に出ることは許されなかった。したがって、弟のこの旅は、人にはできないきわめて貴重な体験だったのだ。

そして、結果的に、この航海体験は弟にとって新たな世界を開くきっかけとなった。『どくとるマンボウ航海記』は、弟の書いた多数の本のなかで、いまも一番売れている。ベスト・アンド・ロングセラーになったこと以上に、「どくとるマンボウ」の世界をもてたことによって、弟は、その対極ともいうべき純文学作品をコツコツと書いていくことが可能になったともいえる。

人生の深奥を掘り下げていく純文学作品だけを書きつづけることは、弟の細く鋭い神経では容易なことではなかったのではないか、と思う。

けっして誤ることがないのは、なにごともなさない者だけである。

――ロマン・ロラン『ジャン・クリストフ』

喪主をしてどんなトクがあったかといえば、葬式というものの仕組みがよくわかったことを一にあげる。もっとも、すでに父もなく、私の場合は、そこで得たノウハウを生かすべき次の斎藤家の葬式は、順番でいえば、私ということになる。まさか、棺のなかからあれこれ指図もできまい。

子らに伝えておくという手もあるが、私には、まだ、そんな日は遠いような気がしてならない。第一、うちの子らは、「おやじさんもおふくろさんも、もう、なにもしなくていいから、ただ生きていてくれればいい」と、なかなかに泣かせることを言っている。

そんなわけで、いまだに喪主をして得た知恵は私の頭のなかにあり、どうやら、宝の持ち腐れとなる公算大である。

死ぬときの言葉を探すことはいい生き方を探すことだ

夫婦間の愛情ってものは、お互いが飽きそうになったころ、やっと湧き出してくるものなんです。

――オスカー・ワイルド

「ついにいく道とはかねて聞きしかど　昨日今日とは思わざりしを」とは、『伊勢物語』にある一首で、在原業平《ありわらのなりひら》が詠んだ歌だ。「ついにいく道」が死出の道であることはいうまでもない。

この年齢になると、もはや私も「かねて聞きしかど……」と悠長にばかりかまえているわけにはいくまい。業平ではないが、死は今日にも突然、わが身に襲いかかってくるかもしれないのだ。

ふと、「遺言書とはどんなタイミングでつくるのだろう?」と思ったりすることもある。

斎藤病院は医療法人化されており、斎藤家には四人の子どもがいさかいを起こすような「美田」もなく、遺産については心配などしていない。

だが、子どもたちには、父親らしい言葉を残したいと思う。それにもまして、なにひとつ自分のことが自分でできず、まったく自立していない私の世話に、人生を六〇年余も捧げてくれた家内に対して、気のきいた言葉の一つぐらい残しておきたいと切に思うのだ。

遺書というと、財産の分け方を指示するものというイメージが強いかもしれない。だが、私の考えでは、そうではなく、家族にあてたラブレターだ。

こんなことを思うようになったのは、二〇年も前からだ。一九八五年の日本航空機の御巣鷹山墜落事故の際、飛行機のダッチロール（蛇行）の不安に揺れる機内で書かれた、何通かの遺書に触れたことがきっかけだった。三〇分以上も揺れ動く機内で、何人もの人が、手帳など、手近なものに遺書をしたためた。

幼いわが子の名前を書き、妻に、「子どもをよろしく」と書いた遺書。子どもの名、妻の名を書き、「幸せだった。ありがとう」と書いた人。ただ、「怖い、怖い」と書かれた遺書……。

それぞれに、書かれた状況を思いやると、いまでも胸がつぶれそうになる。

夫婦げんかは肘《ひじ》をぶつけたのと似ている。
痛いがすぐなおる。

――イギリスのことわざ

子どもが巣立ったわが家では、逆に子どもらに、「残された妻をよろしく」と書き残すことになるだろう。

なぜ、妻が残されると決まっているのかって？

それは当然だ。

私は、いまも述べたように、身の回りのことはなに一つ自分ではできない。妻に先立たれては、私は大いに困ってしまうのだ。旅行に行くときでさえ、たいていは妻をともなったものだ。

それが結果的には、非常に幸いした。夫婦二人の旅は、たがいの関心事の違いから、目にしたもの、耳にしたものを補い合う形になるからだ。

それは旅をいっそう味わい深いものにしてくれた。また、こうして原稿を書くときなども、うっかり忘れたことを家内に聞くと、家内の記憶はまだまだしっかりしたもので、「あなた、あれはこうでしたわよ」などとたちどころに答えが返ってくるという実利も捨てがたい。

夫婦愛はしわのなかに住む。

——ストバイオス

「隠居研究会」という集まりがあって遺言代わりに「人生最高のラブレター」を書こうという運動を進めているそうだ。

このグループでは、「死は、誕生、結婚と並ぶ人生の節目。だが、感謝の気持ちを伝えないまま亡くなることが多い。高齢になればなるほど、照れくさくて、『ありがとう』を言えない。残された人に送るラブレターなら、素直な気持ちが書ける」と呼びかけているそうだ。

まさに慧眼《えげん》というべきだ。だが、「人生最高のラブレター」と聞いたとたんに、私はますます家内にあてた遺言を書けなくなったまま、今日に至っている。

あちこちに披露した話だが、私は以前、家内に「表彰状」を送ったことがある。銀婚式を迎えたとき、祝いの集まりに向かう途中、ふと思いついたのだ。家内は、きわめて個性の強い父や母はじめ、わが家族となかなかにうまくやってきてくれた。「よって、心からの愛情をもって表彰する」と書いた紙を送ったのだが、ジョークと見せて、内心、かなり本気だった。

家内とは、ほれた、はれたというロマンスはなく、純然たる見合い結婚だ。

そのうえ、私はこの年まで、天地神明に誓って愛人さえもったことはなく、この点でも、愛人をもち、その愛人が死後、ラブレターを公開するという派手やかな話題をふりまいた父の足元に、遠く及ばない。

そんな私だから、いつになるかわからないが、死ぬまでには（?）、家内にあてた「ラブレター」を書こうという気持ちはいまも日々、ちゃんと温めている。

本書は次の書籍を参考にさせていただいた。厚くお礼申しあげる。

『小さな人生論』（藤尾秀昭　致知出版社）、『一言よく人を生かす』（伊藤肇　生産性出版）、『地球は青かった』（平田寛　岩波書店）、『新・私の好きな言葉』（講談社）、『結婚するって本当ですか』（枡野浩一　朝日新聞社）、『日々に生きる言葉』（尾崎秀樹　有楽出版社）、『自然の言葉』（ジャン・マリー・ペルト　紀伊国屋書店）、『中野孝次の生きる言葉』（中野孝次　海竜社）、『ミーニング・オブ・ライフ』（ジョナサン・ギャベイ　人間と歴史社）、『あの一言はすごかった！　スポーツ編』（後藤忠弘　中経出版）『生きる勇気が湧いてくる　魔法のほめ言葉』（沢登春仁＋土屋松雄　講談社）、『アメリカン・ホップ・フレーズ　スーパースター206人名言・迷句』（ショーン・ホーリー　研究社出版）、『ギムレットには早すぎる　レイモンド・チャンドラー名言集』（郷原宏　アリアドネ企画）、わたしたちの名言集ＢＥＳＴ100』（ディスカヴァートゥエンティワン編集部　ディスカヴァートゥエンティワン）、『ムーミン谷の名言集』（トーベ・ヤンソン　講談社）、『「赤毛のアン」のすてきな英会話』（ケネス・ペクター　河出書房新社）、『大事なことはみーんな猫に教わった』（スージー・ベッカー　小学館文庫）、『昭和忘れな歌』（なかにし礼　新潮文庫）、『金子みすゞ童謡集』（金子みすゞ　角川春樹事務所）、『クロスロード　スクリーンズ』（サンクチュアリ出版）、『人を動かす名言名句集』（世界文化社）、『松下幸之助　運をひらく言葉』（谷口全平　ＰＨＰ研究所）、『松下幸之助一事一言』（大久光　文春文庫）、『世界名言集』（岩波文庫編集部編　岩波書店）、『アラブの格言』（曽野綾子　新潮新書）、『モンゴル大草原101の教え』（藤公之介　一満舎）、『聖なる知恵の言葉』（スーザン・ヘイワード　ＰＨＰ文庫）、『20

世紀名言集　大経営者篇』(A級大企業研究所編　情報センター出版局)、『世界ことわざ名言辞典』(モーリス・マルー編　講談社学術文庫)、『創業者百人百語』(谷沢永一　海竜社)、『あなたに贈る希望の言葉』(バーバラ・ミロ・オーバック　PHP文庫)、『新一日一言』(佐藤毅　河出書房新社)

成美文庫

続・いい言葉は、いい人生をつくる

著　者　斎《さい》藤《とう》茂《しげ》太《た》
発行者　深見悦司
発行所　成美堂出版
〒162-8445　東京都新宿区新小川町1-7
電話(03)5206-8151　FAX(03)5206-8159
印　刷　広研印刷株式会社

ISBN4-415-07391-3

脳を鍛える50の秘訣
斎藤茂太
脳のメカニズムがわかれば鍛え方がわかる。鍛え方が正しければ脳力は無限に伸びていく。鋭い頭はこうつくられるのだ。

茂太さんの　元気を出すのがうまい人　へたな人
斎藤茂太
魅力的な人ってどんな人？　疲れた心をリフレッシュする発想から話術まで、自分も人も明るくする「ほがらか人間学」。

すぐに「好感を持たれる人」の12の習慣
斎藤茂太
人間関係には「ここさえ直せば劇的に好転する」ツボがある。人づき合いのイライラが爽やかに消えるモタさん流心育て。

なぜか　やる気が出ない人へ
斎藤茂太
ついダラダラ、いらいら、モタモタして自分を責めるのをやめよう。茂太流人生チェックで心は常に前向きになるのです。

「うつ」が　スーッと晴れる本
斎藤茂太
私もうつとつき合いながら明るく生きてきた――モタ先生が体験から語る、自分を守って心を落ち込みにくくする生き方。

いい言葉は、いい人生をつくる
斎藤茂太
漱石からアインシュタインまで、とっておきの名言をもとに、生きかた上手のコツを伝授。心によく効く言葉の処方箋！

心の疲れをとるちょっとした方法

墨岡　孝

プラスの自分がよみがえる3分間ヒーリング。あなたはいくつ知っていますか？疲れない生き方が一頁目から始まります。

幸せを呼ぶ「色づかい」レッスン

高坂美紀

色がもつパワーは絶大。その効果をあなたはまだ十分に知らない。恋も仕事もうまくいく「この色」の見つけ方、使い方。

心の整理が上手い人・下手な人

本多信一

考え方を少し変えるだけで、生きるのはずっとやさしくなる。嫌なことも成長の糧になる。心が晴れやかになるヒント集。

「会社の人間関係」がよくなる本

松本幸夫

無能な上司からウマの合わない同僚まで。こじれの対処から「もっと親しく」まで。仕事につきものの問題はこう対処する！

1分間「人間鑑定」術

摩　弥

占い師が何の道具も使わずに短時間で相手の状態や願望を見抜けるのはなぜ？「本性」をズバリ見きわめる秘密の心理学。

1分間「成功暗示」術

椋木修三

成功の条件は努力や才能より、無意識の力こそ絶対だ。本書の7ステップで元気が出る。頭がさえる。そして運がつく！

超「快眠」法

三輪恵美子

最高の寝つきと、スッキリの目覚めはこう手に入れる！　最強、最速、最簡単の眠力増強法。何があっても快く眠れる本。

ビジネスマン77のタブー

村沢　滋

上司、先輩、顧客…はあなたを「こんなこと」で判断する。暗黙のオキテにつまずくな。その裏に成功が隠れているのだ。

「三国志」勝利の絶対法則

守屋　洋

乱世に願望通りの人生を実現した英雄たちは、使える成功ノウハウの宝庫。実学を発見するとき三国志は最高に面白い！

スピード思考の技術

矢矧晴一郎

速く考えると心が前向きになる。グズがなおって人生が倍になる。行動の先のばし、頭のモヤモヤがなくなる36の具体例。

「現場バカ」が成功する！

山田　清

バカに徹しろ！　いつか人が評価する！「気迫」の満たし方から「嫌い」の克服まで、型破り営業マンが痛快ノウハウを全公開。

弁護士の仕事術・論理術

矢部正秋

大量の仕事を正確に、速く、勝つために。最強の仕事術は弁護士にあった！文章術から交渉術までプロはこう自己育成する。